I Narratori / Fe

CW00968940

# CRISTINA COMENCINI

# LA BESTIA NEL CUORE

Feltrinelli

© Giangiacomo Feltrinelli Editore Milano
Prima edizione ne "I Narratori" aprile 2004
Seconda edizione luglio 2004

ISBN 88-07-01653-2

*A D. e S., che non ho conosciuto,*
*di cui ho letto su un giornale.*

"Perché i figli salvano e tengono vivo il nome dei morti, come i sugheri, reggendo la rete, preservano il filo di lino dal fondo del mare."

ESCHILO, *Coefore*

"Io non vi biasimo tanto per la vostra voracità, miei simili; questa è natura, e non c'è niente da fare; ma dominare questa cattiva natura, questo è il punto. Voi siete pescecani, certo; ma se dominate il pescecane in voi, allora siete angeli; perché tutti gli angeli non sono altro che pescecani ben dominati."

H. MELVILLE, *Moby Dick*

# MORTI

# 1.

"Aiuto! Cosa vuole? Ah! No! Ah! Dio mio, mi lasci, non mi faccia male! Mi lasci andare! Oh, Dio! No, non questo! La prego, non la denuncerò..."

"Stai zitta, troia! Apri le gambe... ferma se no t'ammazzo!"

"Ah! La prego, la prego, no... non le ho fatto niente, mi lasci andare... "

"Brutta scema... ora non parli più, eh? Fammi venire, troia... ah..."

Le inquadrature del volto deformato del bruto, del corpo della ragazza dietro il cespuglio del parco, del viso di lei che perde i sensi, si bloccano sempre nello stesso punto, un istante prima che lui venga, steso sul corpo inanimato di lei. Dopo ci sono solo guaiti umani e sono già sulla colonna internazionale, non vanno doppiati, può restare la voce dell'attore americano. In qualsiasi lingua un guaito resta un guaito e i mugolii di piacere sono uguali per tutti gli esseri umani. E non c'è dubbio che anche un violentatore appartiene alla specie.

Dal leggio Sabina si volta verso il vetro della regia. Parlano fra loro, il direttore e il fonico, sanno che dall'altra stanza non li possono sentire. Lo fanno sempre. Sabina lancia uno sguardo al ragazzo simpatico che le sta accanto. Lo prendono spesso per doppiare stupratori e assassini perché fuma tanto e ha la voce roca da cattivo, invece è gentile, educato, e non ha mai un soldo. L'assistente con la matita in mano aspetta dietro al tavolino. Ha il colorito verdastro, gli occhi rossi rovinati dallo schermo, un desiderio spasmodico di fumare. Diventerò come lei, pensa Sabina.

"Maria, puoi chiedergli se si degnano di dirci com'era?"
L'assistente guarda l'ora, spinge il tasto dell'interfono.
"Com'era?" chiede annoiata, con forte accento romano.
Finalmente rispondono.
"Non male. 'Stai zitta, troia' forse era un po' moscio. Invece 'apri le gambe' direi buono. Ma ci devono essere più sussulti, Sabina. La voce dev'essere piena di terrore, una paura che ti taglia il fiato, non riesci a respirare. Proviamo un'altra volta e poi la riprendiamo dopo la pausa."
L'anello si ferma sulla prima immagine. Maria chiede come sempre:
"La tengo comunque?".
Dalla regia:
"Tienila, semmai facciamo un incastro".
"Ok, vado su un'altra pista."
L'assistente fa l'annuncio veloce mentre l'immagine riparte.
"120, quarta, seconda pista."
La ragazza bionda corre nel parco, ha il fiatone, forse è l'ultimo giro. Nell'ultimo giro anche a Sabina sembra di morire, non vede più niente, solo la ghiaia, occhi bassi, non pensare alla distanza che ti separa dall'arrivo, concentrarsi su ogni falcata. Anche la ragazza bionda fa così, e non lo vede. L'uomo la osserva da giorni. Lo spettatore lo conosce bene, lei non se n'è accorta. All'improvviso, la figura nera le è addosso:
"Aiuto! Cosa vuole? Ah! No! Ah! Dio mio, mi lasci, non mi faccia male! Mi lasci andare! Oh, Dio! No, non questo! La prego, non la denuncerò...".
Ha sussultato veramente, si era distratta a pensare alle sue corse del mattino, la figura nera dell'uomo uscito da dietro l'albero l'ha sorpresa. La battuta è andata leggermente fuori sincrono, un po' lunga, ma la paura c'era.
"Stai zitta, troia! Apri le gambe... ferma, se no t'ammazzo!"
"Ah! La prego, la prego, no... non le ho fatto niente, mi lasci andare... "
Che cosa tremenda sentire fra le gambe quel pezzo di carne viscido, le mani che cercano dove infilartelo. Come fa un uomo a godere di questo?
"Brutta scema... ora non parli più, eh? Fammi venire, troia... ah..."
L'anello si ferma. Sabina e il ragazzo si voltano in contem-

14

poranea verso il vetro alle loro spalle. Sabina pensa a Franco che l'aspetta fuori.

"Lo so, lo so, la prima era un po' lunga," dice contrita.

Dalla regia, il direttore le sorride. Gli piace sentire che le ragazze sono nelle sue mani, le scopa tutte prima di farle lavorare. Le invita a cena e le porta a casa, non più di una o due volte per fortuna. Sabina pensa al pene lungo e moscio sfregato contro il suo seno per eccitarsi, il viso rosso. Franco non l'ha mai saputo. Cosa ridi?, porco.

"Sì, la prima era un po' lunga, ma si può tirare su, vero Maria?"

L'assistente morirà se non fuma una sigaretta, e ha fame.

"Si tira su benissimo."

"Era bella la prima battuta, Sabina, mi hai fatto venire la pelle d'oca, sembrava fossi proprio lì."

Sabina afferra la matita e la gomma posate sul leggio.

"Per fortuna no. A dopo, non avete bisogno di me per l'incastro."

Sabina prende la borsa, infila la giacca mentre Maria annuncia l'incastro fra la sua prima battuta e l'ultima.

"Da 'Aiuto cosa vuole' fino a 'se no t'ammazzo', seconda pista. Da 'La prego, no' fino a 'troia, ah!', prima pista. Facciamo l'incastro e ci fermiamo."


Franco la guarda mangiare con appetito. Lui fuma la seconda sigaretta, la prima l'ha spenta nel sugo rappreso dell'hamburger. Perché ha tanta fame, perché è sempre così tranquilla? Lavora, mangia, scopa, dorme.

"Hai una bella fame," le dice dolce, non vuole che si accorga della rabbia che gli fa venire il leggero, educato, rumore della bocca mentre mastica.

Sabina gli sorride.

"Il turno è cominciato alle nove, sono stanca. Non ti chiedo niente dell'incontro."

"Sì, non mi chiedere, tanto lo sai. 'Cinema se ne fa poco, cerca di trovare qualcosa in televisione, e se no crepa pure di fame!'"

Sabina sente vicina la tempesta, in questi casi meglio reagire subito che sottomettersi. La sottomissione lo fa diventare pazzo.

"Si fanno molte cose buone in televisione, tu non ti accontenti mai."

"E tu invece subito, fai il tuo lavoretto, guadagni i tuoi soldini!"

Sabina prende il conto, fa segno alla ragazza.

"Quando sei di quest'umore con te non si può parlare!"

Franco guarda il piatto, la mano di lei che stringe il conto.

"In Italia non è rimasto niente oltre la televisione, ma nessuno dice più nulla, è un fatto inevitabile e tutti si adeguano: la realtà è questa, smettila di rompere! Non voglio lavorare in televisione, preferisco morire di fame!"

Lo guarda, ha ragione lui, non si arrende. Lei ha rinunciato da parecchio tempo alla lotta per diventare attrice, e comunque il doppiaggio non le dispiace dopotutto. Lascia il conto sul tavolo, gli prende la mano.

"Sì, hai ragione. Per molti anni tutto finito, teatro, cinema, musica, solo televisione. Ora però va un po' meglio, si fanno anche altre cose..."

"Meglio per gli altri, io ho trentacinque anni: sono vecchio per cominciare."

"Hai fatto molte cose belle a teatro..."

"A cosa è servito? Pubblico e soldi zero."

Sabina paga. Franco si accende la terza sigaretta.

"Ne hai già fumate due, aspetta il caffè."

Si alza con la sigaretta in bocca, lei lo segue in strada, gli si appende al braccio. Franco non la guarda, gli piace quel gesto così femminile, ma non vuole mostrarlo.

"Secondo Emilia dovresti fare un radiodramma, lei li ascolta sempre."

Franco si scosta innervosito.

"E che altro potrebbe fare? Qualche volta la invidio, in un mondo di ciechi la televisione non sarebbe niente."

Sabina lo riprende per il braccio, lo tiene stretto.

"Sto doppiando un film impressionante, anche questo per la televisione."

Franco sorride amaro.

"Un telefilm americano, una cosa insulsa, però fa paura. La ragazza che doppio corre come me tutte le mattine in un parco, e le succede una cosa orrenda."

"Perché vai a correre così presto, non voglio, te l'ho detto tante volte!"

"Ma è un film!"

Sabina fissa il suo profilo con la barba chiara lasciata lunga, le labbra carnose intorno alla sigaretta. Il suo pene duro circondato da peli biondi, le mani sul suo corpo.

"Allora mi ami ancora?"

Lui sospira.

"Non si riesce mai a fare un discorso coerente con te."

# 2.

"*...Le ville accanto alla loro erano già state abbandonate. Materassini di gomma bucati, canotti sgonfi e interrati dai bambini nei giardini, lasciati a sopravvivere alle piogge, alle raffiche gelide del vento di mare. Rosa, turchese, giallo, nei neutri del paesaggio, fra il verde scuro e chiaro dei pini. Carla li pensa eretti, dondolanti ai ganci delle bancarelle del paese, indicati da un bambino per mano al genitore, sognati la prima notte al mare, con ancora davanti un mese di bagni e giochi. Cammina fra le ville deserte, raccoglie con gli occhi i rifiuti delle vacanze altrui. I loro li ha infilati con rabbia in un sacco della spazzatura formato condominio, mettendo in ordine le stanze della casa, chiudendo le valigie della biancheria, avvolgendo nella carta stagnola pezzi di formaggio avanzati. L'ultima passeggiata prima della partenza. Respira a pieni polmoni l'aria forte del mare mosso, l'odore del lauro, dei pini bagnati di pioggia. Si è rotto il tempo per fortuna. Il sole che ha rallegrato tutta la sua famiglia è stato per lei un peso sopportato con nervosismo. È riuscita a non farlo capire al marito. Ma i due figli grandi l'hanno presa in giro per la furia con cui ha messo via maschere, pinne, asciugamani, ha gettato le scarpe di gomma rotte, i giornali vecchi.*

"*'Mamma, ce ne andiamo, sei contenta? Ora puoi buttare tutto, lasciare la casa in ordine, chiudere la porta.'*

"*Ed erano scesi al mare per l'ultimo bagno tra le onde. Ha guardato la casa silenziosa, i letti disfatti, le persiane chiuse. Ora le sembra attraente, disabitata eppure piena della loro presenza. Durante la vacanza non ha sentito il piacere di abitarla, ma il peso di farla andare avanti, ogni giorno, come una fabbrica, una nave,* un collegio. L'ha amata solo di notte, quando dormivano salvi nei letti, scampati alla pesca subacquea, alla barca, alla strada piena di curve. La notte la casa è un posto vuoto dove cercare se stessa nel silenzio dei loro respiri. Tutta la sua vita è ora una paura ininterrotta. Si è chiesta tante volte da dove fosse venuta fuori, prima o dopo la nascita dei bambini, quando si è sposata o semplicemente con il passare del tempo, il prezzo della loro felicità. Un'altra dentro di lei pensa che solo finché avrà paura, sempre, che affoghino o muoiano in un incidente, quel giorno, quella sera, niente può loro accadere. La sua paura, la coscienza che ha solo lei della fragilità della loro vita, li tiene lontani dalla morte. In aereo succede la stessa cosa, se smette per un attimo, soprattutto nei voli lunghi, di immaginare l'aereo che precipita, pensa che precipiterà veramente. Basta un piccolo vuoto d'aria improvviso a confermarlo. Quelli che non ci pensano sono pazzi. L'incidente succede quando meno te lo aspetti. Lei lo aspetta sempre, così non può accadere. Ma ha cessato di vivere.

"Cammina veloce sulla rampa verso casa, fa sempre tutto in fretta, per non sprecare tempo, è magra, ha gambe muscolose, non ha paura della fatica, della vita sì. È stata una bambina coraggiosa, così l'hanno educata, a non avere paura. Alla loro età anche lei si gettava nelle onde, esplorava i fondali, nuotava fino a che la spiaggia dove sua madre distribuiva panini spariva dietro le rocce.

"Quello che devo fare, pensa all'improvviso. Sparire dietro una roccia della strada. Acquattarmi come un animale dietro un cespuglio, come quando facevo pipì da bambina, nelle soste dei viaggi, e pensavo di allontanarmi dalla macchina a quattro zampe. Scavalcare il muretto della casa dei vicini, nascondermi nel loro giardino e aspettare. I richiami, le macchine della polizia. Poi il silenzio, il rumore del mare. In ogni villa ci sono scorte di cibo, scatole di pasta, di tonno; pullover, coperte. Niente fuoco acceso, niente fumo per non dare indizi. Quindi, passati i giorni, si sarebbe nascosta in casa sua; anche da fuggitiva una come lei doveva stare vicino, non allontanarsi troppo, muoversi fra mobili conosciuti, mettere magliette del marito, dei figli. Finite le provviste, avrebbe forse trovato il coraggio di andare più lontano, più tardi, dopo molti giorni vissuti nella casa abbandonata, con loro ma senza la loro presenza, come di notte, nel silenzio dei respiri.

"Pensa e non ha coscienza di essersi tolta le scarpe per non lasciare impronte, di aver spiato, accovacciata dietro un cespuglio di lauro, la sua casa vuota, dall'unica persiana ancora aperta. Quel

19

*soggiorno, i libri dalle pagine ingiallite, il lume storto, li avrebbe riconquistati fra poco, diversi. E poi ha deciso, come un gioco, in fretta, prima che tornino dal bagno. Ha scavalcato il muretto dei vicini nella parte bassa, da dove si passano il sale, il basilico, l'olio che mancano. Con un piccolo salto è nel loro giardino. Lo conosce poco, c'è stata una o due sere a cena. Carla cerca un posto dove nascondersi, si augura che almeno per la prima settimana non vengano con i cani, ha paura dei cani, forse più di qualsiasi altra cosa, sono intelligenti e sanno dove trovarti."*

"Sei stanca di leggere?"

Sabina lancia di sfuggita uno sguardo all'orologio, dimentica per un istante che l'amica non può vederla.

"No, ma è tardi, devo andare."

"Non sei stata molto, oggi."

"Ho letto più di un'ora, ho la bocca secca."

"Ci facciamo un tè?"

Sabina sorride, è disarmante il tono di voce di Emilia. Sempre stato così, da quando si sono conosciute a scuola, in quarto ginnasio, e con la stessa voce di ora le ha chiesto: "Ci sediamo accanto?".

"Va bene, facciamo un tè, ma poi vado."

Emilia si alza, esce dalla stanza senza difficoltà, come vedesse gli oggetti invece di immaginarli. Sabina la segue in cucina. In piedi davanti alla finestra, sente i gesti precisi dell'amica: il fuoco acceso, il tintinnare del bollitore, le tazze posate sul tavolo con delicatezza, la zuccheriera, le bustine del tè. Le pare di capire attraverso i rumori la percezione che Emilia ha della vita. Le viene in mente la protagonista del romanzo, come si chiama?, Carla, ha la stessa idea della sua casa, un posto troppo conosciuto e dunque invisibile. Fuori un passante apre l'ombrello, il mondo fatto solo di rumori si spegne. Sabina usa di nuovo gli occhi come Emilia non può più fare.

"Non è male questa storia," le dice sedendosi al tavolo.

"Troppo presto per dirlo. Ma almeno è una storia di oggi. Chissà perché i libri sonori sono tutti classici. Un cieco vorrà pur sapere qualcosa di quello che succede oggi. Non puoi uscire di casa e devi immaginarti un mondo di strade percorse da carrozze, donne e uomini in costume da carnevale!"

"Sei tu che non vuoi uscire, te l'ho proposto tante volte."

Con un gesto intenzionalmente goffo Emilia lascia cadere la scatola di biscotti sul tavolo.

"Cosa t'importa della pietà degli altri!"

Emilia prende il bollitore, versa l'acqua nelle tazze senza farne cadere neanche una goccia.

"Sì, non dovrebbe importarmi dato che non la vedo, e invece mi deprime, mi imbarazza come se la vedessi. Sento la gente che abbassa il tono della voce quando mi passa accanto, qualcuno smette di parlare, e poi i bambini... Potresti portarmi a fare un giro in macchina, ma detestavo le macchine anche prima di ammalarmi. Vorrei correre tutte le mattine come fai tu, peccato non averlo fatto quando ci vedevo. Anzi, ora che ci penso non mi hai neanche raccontato un film."

"Niente che valga la pena questa settimana. Un film inglese in costume, uguale a tutti gli altri."

"Niente costumi."

"L'ultimo film di Almodóvar te l'ho già raccontato l'altra volta."

"Non ci ho capito niente e poi mi deprime la storia di una in coma che non può muoversi, mi somiglia troppo. Ti piace il tè al pistacchio?, me l'ha portato mia madre."

"Ha uno strano sapore. In realtà il film è molto bello, ma non sono riuscita a farti capire bene la storia, per esempio le visioni, come quella dell'uomo piccolo piccolo che entra nella fica della donna. Fantastica."

Emilia cerca un biscotto nella scatola.

"Be', le visioni, le immagini in genere, sono difficili da raccontare: dovresti inventarti delle metafore per trasmettermele, in definitiva scrivere un romanzo dal film."

"Non è il mio mestiere."

"Tanto vale leggermi un libro, così ho la mia idea dei personaggi, dei posti. Descrivere una fotografia o un quadro è impossibile. Preferisco tenermi le immagini che ho accumulato in testa per i vent'anni in cui i miei occhi hanno funzionato, non è poco."

Sabina sorseggia il tè senza finirlo, il pistacchio non c'entra niente con il tè, ma la madre di Emilia ama le cose originali.

"Tutti dicono che siamo sommersi dalle immagini, almeno tu sei salva."

"Spiritosa. Invece dovresti raccontarmi film con delle trame forti, anche brutti, tanto non li posso vedere. Film d'azione, gialli o del terrore, con il mestiere che fai!"

"Sì, ne vedo tanti sul lavoro, ma a spizzichi e bocconi, non capisco neanche le storie, certe volte non ne posso più. Mi piace venire qui e leggerti un bel libro. Ora però devo andare."

Sabina si alza e si china per darle un bacio.

"Ti accompagno."

"Non c'è bisogno, finisci il tuo tè fantasioso."

Emilia si è alzata di scatto e la segue nell'ingresso dove Sara, il bassotto, si stiracchia pronta per la passeggiata.

"Non esci, Sara, non è mamma. Ti viene a prendere fra un po'." E poi, rivolta all'amica: "Quando torna dalle passeggiate odora di altri cani e so i posti esatti dov'è stata. Il mio olfatto ormai è migliore del suo".

Sabina le sfiora le guance con le labbra, ma Emilia la trattiene ancora per un istante.

"Andiamo al mare un sabato, mi piace tanto camminare sulla spiaggia."

"Certo. Ciao, e vai avanti con il romanzo."

"Preferisco quando lo leggi tu, quella voce di donna registrata è leccata e noiosa, mi fa addormentare."

Emilia accosta piano la porta sui passi della sua fuggitiva che scende correndo le scale, non le piacciono le porte che sbattono.

# 3.

L'essenza di rose, il tuo profumo, impossibile da afferrare eppure persistente come il corpo che non si avvicina mai al mio. Basta non aprire la finestra, tenerlo imprigionato fino a lunedì. Il bacio leggero che mi dai quando arrivi e vai via, lo stesso con cui certamente sfiori le guance dei compagni di lavoro nel buio delle sale di doppiaggio.

Non ci baciavamo così prima, quando potevamo guardarci negli occhi. Come se la cecità mi avesse all'improvviso denudata di fronte a te. Abbiamo dormito d'estate nei sacchi a pelo, i fiati vicini, ti ho visto rivestirti cento volte nella mia e nella tua stanza. Il corpo minuto con il seno troppo grande, di cui ti vergognavi, mentre a me appariva un miracolo dell'anatomia. Il mio lo nascondevo velocemente sotto la maglietta, così piccolo che mai nessun uomo mi ha fischiato dietro. Forse le mie gambe bianche non erano male, ma le tue, così infinitamente più abbronzate e sode... Sapevo di piacerti fisicamente, anche se non come tu sei sempre piaciuta a me. Trovavi bella la mia pelle bianca, l'aria da ragazza inglese – quanto ci siamo divertite a Londra! – e gli occhi chiari, già slavati, che perdevano colore a poco a poco. Però non mi hai mai amata né desiderata, non importa. L'amicizia è importante per te – mi vieni a trovare due volte alla settimana –, ma non come l'amore. Amicizia e amore per me sono te. Forse ora che sono qui e ti aspetto te ne rendi conto, per questo non mi abbracci mai. O forse non vuoi compatirmi. La prossima volta ti dirò quanto è dura la mia vita, forse mi scapperà anche una lacrima, e tu mi abbraccerai. Ti terrò stretta, il viso nel collo – ti sei tagliata i capelli, non so se hai fatto bene –, il seno morbido contro il mio. Mi basta questo, solo per un attimo, poi ti caccerò via. Non devi provare pena per me, sei bella e giovane, fidanzata con uno stronzo che non mi sopporta, non sei ancora nessuno – hai interpretato solo piccole parti e il doppiaggio sta diventando la tua vera professione –, ma magari ti stufi di me e non vieni più a trovarmi.

Sabina, amica mia, amore mio. Non è difficile diventare cieca quando te lo annunciano da bambina, ho avuto l'adolescenza, la mia vita con te per prepararmi. Ho letto tutto quello che potevo, viaggiato, guardato, specialmente te, ogni volta che potevo e quando non te ne accorgevi. Una mattina, quando se n'è andato anche il contorno nebuloso delle cose, ammassi di nebbie sono evaporati nel buio, ero pronta. Una professione, una casa, mia madre e te. Un mondo da ricordare. Se non fossi diventata cieca, te ne saresti potuta andare. Quante amicizie si rompono, si dimenticano. Ma così hai dovuto conservarmi un posto nella tua vita. Anche se te ne vai sempre prima, ho un orologio nella mente, il tempo non mi sfugge. Te ne vai a incontrare quelle persone che non esistono e quell'unico in carne e ossa che ti fa soffrire ma ti piace tanto. Perché? Non me lo sai spiegare. È bello, affettuoso, ma ha cattivo carattere, mi dici. Non guadagna e tu paghi anche per lui se ti capita. Fa l'attore come te e si arrabbia perché nessuno lo chiama. Però si rifiuta di fare il doppiaggio, mentre tu ti massacri di turni e guadagni per tutti e due. Ma lo ami! Scopate bene di sicuro, su questo non mi soffermo anche se sono abituata a dividerti. Vorrei che tu me ne parlassi, ma sei così chiusa, così timida in fatto di sesso, come sugli abbracci. Immagino sia lui a decidere quando e come. Ti piace cedergli, offrirgli il tuo bel corpo... quanto piacere riesci a sentire sotto le sue mani? Non voglio fare la zitella invidiosa, certi uomini sanno fare l'amore e Franco sarà uno di loro.

L'unica volta in cui l'ho visto, si fa per dire, la sola volta che l'hai portato qui per farci conoscere, ha parlato poco, noi imbarazzate dal suo silenzio cercavamo argomenti neutri. Due amiche vere non possono parlarsi in presenza di un uomo, diventa come se si spogliassero insieme di fronte a lui. Ci capitava anche al liceo, tu volevi sempre mettere in comune famiglia, amici, fidanzati. Alcune amicizie escludono altre presenze e non sono compatibili con la socialità. Ogni volta che abbiamo tentato, litigavamo. La volta di Franco, una settimana dopo mi hai chiesto se mi era piaciuto. Quando si vedono le persone attraverso la loro voce, senza i sorrisi, i gesti, l'espressione degli occhi, si afferrano bene i loro segreti. La voce senza il volto è nuda, si sentono le note false o troppo giuste, per questo nessuno ama riascoltarsi. E gli attori doppiati perdono le loro debolezze, rubano quelle dei doppiatori; le tue, dietro le battute senza senso dei telefilm americani, mi sono così chiare. La voce di Franco, forse perché ero all'erta, vigile come il mio bassotto quando ci sono estranei in casa, mi ha rivelato molte cose. La sera le ho registrate nel mio diario sonoro.

"Sei pericoloso, Franco, sei disperato e frustrato, la sua felicità ti fa paura. Vorresti che fosse ambiziosa come te, depressa, sofferente e soccorrerla, ma è sempre lei a tirarti su e questo ti innervosisce. Hai dei tratti femminili, una certa mollezza, gesti lenti che l'hanno fatta innamorare. Ti immagino mentre le ciucci il seno famelico come un bambino e lei gode mentre lo fai, ti accarezza i capelli arruffandoteli. Hai un'intelligenza fine, troppo astratta, poco istinto, eppure sei un bravo attore, più bravo di lei, forse un po' intellettuale, ma forte, anche se non hai trovato nessuno che ti fa lavorare. Sei così esigente e noioso! Spacchi il capello in quattro e non ti accontenti, come me, per questo la sua presenza leggera ci fa bene, per questo ci siamo innamorati della stessa donna."

Non ti ho detto queste cose di lui, ma dal tono della mia voce – forse la voce dei ciechi è più trasparente – hai capito che non mi era piaciuto sino in fondo e abbiamo discusso di me, del mio isolamento, del carattere che secondo te, più della cecità, mi ha fatto perdere quei pochi amici che avevo. Mi sono tenuta la tua arrabbiatura, non volevo sparissi per un mese, ma non ho mai più detto nulla di Franco.

Non mi importa, basta che continui a venire due volte alla settimana e non te ne vada così presto. Ho tante ore per immaginarti fuori di qui, per fantasticare su di te. Ho le cassette con le attrici straniere che parlano con la tua voce, il cane, il mio lavoro. Fili, ognuno al loro posto secondo il colore, il pettine del telaio che spingo avanti e indietro mentre penso ma non mi distraggo. I miei tappeti si vendono bene. Ho imparato prima, quando ancora ci vedevo, disegni geometrici che alterno e ripeto. Qualche volta li cambio, d'istinto, senza poterli verificare, e mia madre ogni volta dice che ci ho azzeccato.

Penelope, come mi chiami tu, ti aspetta.

# 4.

Questa mattina il Parco dei Daini sembra un giardino di Londra. Ieri notte è piovuto e dalla terra sale una nebbiolina azzurra. I giardinieri stanno raccogliendo rami e foglie, li bruciano negli angoli del parco. Pennacchi di fumo bianco salgono intorno al Museo Borghese come in un accampamento militare. Sabina doppia l'angolo verso il museo, corre sul rettifilo tra alberi spogli e neri. L'odore di foglie e di legna bruciata le entra nei pori. Tira su con il naso, profondamente, come inspirasse incenso. La corsa, quell'aria, la stordiscono. Da quanto tempo corre? Un quarto d'ora, o forse di più. Le gambe, pesanti all'inizio, ora sono leggere come ali, le sembra di nutrirsi d'aria, di sfiorare appena la ghiaia, di saltellare come una bambina impertinente davanti alla ragazza nuda ferma sul piedistallo tra le aiuole. Guarda sfilare le altre statue sbeccate, corpi d'uomini e donne fratturati, senza un braccio, una gamba, il mento, un seno. Chi le avrà mutilate così?, una scolaresca, un maniaco, un collezionista? Le vengono in mente le statue fasciste del Foro Italico, le cosce, i culi in fuori, i muscoli tesi delle spalle, lo stesso tipo d'uomo delle riviste gay. Una virilità per uomini. Ma l'uomo più bello che abbia mai visto è il più vecchio dei due bronzi di Riace. Venuto dal mare, come Venere, i capelli chiari e riccioluti, lunghi come si portavano negli anni settanta, gocciolanti d'acqua salata. Il corpo muscoloso ma pieno di una grazia un po' femminea. La forza maschile trattenuta senza ostentazione, come quando se ne possiede molta. Il pene a riposo tra i riccioli chiari le ricorda quello di Franco quando dorme.

Franco aveva un appuntamento, ma l'ha lasciato dormire, il

lavoro arriverà, inutile intestardirsi. È deserto il parco alle otto e mezzo. Una donna stacca dei pezzi di uno schifoso pasticcio per gatti, un piccione spennacchiato e sporco becchetta fra i sassi. Sabina entra nella parte più scura del parco, adiacente allo zoo. Da lì si sentono gli urli degli animali. Una volta sapeva di chi fosse quel lamento cupo e modulato, del gibbone le pare di ricordare. Nella zona d'ombra pensa all'improvviso alla ragazza bionda del film che ha appena doppiato, al suo assalitore. Il suo potrebbe nascondersi dietro ogni albero, forse la tiene d'occhio da molti giorni. Situazioni da film o da cronaca nera. Lei è Ariel, un elfo, corre sulla punta dei piedi, non ha peso, nessuno può fermarla.

Curioso correre quando non ti insegue nessuno. Sabina lancia uno sguardo furtivo dietro la spalla destra, le è sembrato di sentire dei passi leggeri, ma è l'eco dei suoi che li raddoppia, come si inseguisse da sola. Da quanto tempo non vede suo fratello? L'ultima volta al funerale del padre, cinque anni prima. Sabina piangeva sulla sua spalla, lui le accarezzava la testa sorridendo, distaccato com'era il padre.

"Ho paura se te ne vai anche tu, non ho più famiglia, non ho nessuno."

"Nessuno... non dimenticare che così dice di chiamarsi Ulisse, lui che aveva conosciuto tutto il mondo conosciuto. Ti rimane il mondo, Sabina."

Dall'infanzia li univa la passione per Omero. Suo padre insegnava latino e greco al liceo, la madre matematica, ora il fratello è andato a raccontare di Ulisse agli americani. Lei invece è sfuggita all'università, ha studiato recitazione e adesso doppia ragazze stuprate. I due nipotini, i figli che il fratello ha avuto da una collega americana, li ha visti solo in fotografia. Il loro appartamento accanto al liceo dove insegnavano il padre e la madre le sembra non sia mai esistito. La sua famiglia è Emilia, l'unica testimone della casa, dei genitori, del fratello. Emilia custodisce al buio i loro ricordi comuni. Quando va a trovarla, le pare di far visita a se stessa. Qualche volta parlano dei pomeriggi in cui studiavano nella sua stanza, una stesa sul letto e l'altra alla scrivania, tanto piccola da contenere solo un quaderno e un libro sovrapposti. Emilia ricorda tutto, molto più di lei. A Sabina sembra che qualcuno abbia cancellato con la gomma i ricordi, la casa e i suoi abitanti, tutto distrutto. Come Cartagine. *Carthago delenda est*, Cartagine dev'essere distrutta. Così, per qualche motivo misterioso, prima era morta la madre, poi il padre, infine il fratello se n'era andato.

Di nuovo sente dei passi di corsa alle sue spalle, sussulta, si volta senza fermarsi. Un uomo in calzoncini la supera senza neanche alzare lo sguardo. Quel brutto telefilm le ha messo una paura stupida, sono fatti apposta. Certe mattine d'inverno, nel parco deserto, sotto una pioggia sottile, ha pensato all'eventualità di un'aggressione, ma mai in modo concreto. Non c'è un solo frammento di pelle che esca dalla tuta orrenda in cui è infagottata, il viso è coperto a metà da un berretto di lana di Franco, gli occhiali da sole le nascondono anche gli occhi. Non sembra una donna. Ma non riesce a dimenticare quel telefilm, di nuovo le viene da guardare se ci sia qualcuno a spiarla da dietro un tronco, un cespuglio, o steso su una panchina a fingere di dormire aspettando il momento giusto per aggredirla. Domani si porterà il walkman e non ci penserà più.

# 5.

Franco si rade in fretta, è già in ritardo per l'appuntamento, forse anche questo non servirà a niente, ma non vuole rinunciarci. Sabina non l'ha svegliato. Quel modo protettivo che ha di trattarlo lo fa imbestialire, dormi bambino mio!

Fanno l'amore bene da tre anni, ma Franco non è il tipo che si illude, è sempre stato convinto che le donne fingano in materia di sesso. Sin da quando era ragazzo, se una donna non gli piaceva veramente lasciava perdere. Non era farlo che lo interessava – andare al cinema per lui era ugualmente interessante –, ma riuscire a farlo bene.

A vent'anni, gli amici passavano il tempo a contare quante volte avevano "intinto il biscotto" e pensavano che lui non fosse normale, non frocio, solo pazzo. Discutevano di questa sua diversità come si parla di uno che ha un dito in meno. A Franco pareva di appartenere a un terzo sesso, né uomo né donna, ma un misto fra i due. Gli piaceva possedere una donna, ma anche esserne posseduto.

"Quando vieni e la ragazza ti segue e tu segui lei, allora è un concerto con un gran finale. Ma altrimenti che senso ha? Se sei teso, masturbati e basta, senza farla tanto lunga!"

Lo prendevano in giro, era troppo complicato, la donna non ha niente da seguire, vuole una cosa e basta. Franco rideva delle loro certezze, per lui era chiaro che c'era uno sfasamento fra i tempi dell'uomo e quelli della donna, niente era evidente e naturale, bisognava dedicarsi, capire, sperimentare, anche con un po' d'ironia.

A Franco sembrava un miracolo se un uomo e una donna

che si erano attratti, conosciuti attraverso le parole, gli sguardi, una volta nudi riuscissero a capirsi altrettanto bene. C'era un tale abisso tra le due forme di comunicazione, una era andata avanti di secoli, l'altra rimasta all'età della pietra. Quest'ultima lo interessava molto perché era taciturno, i silenzi, i gesti lo seducevano più delle parole, ma non gli sembrava semplice saltare da un millennio all'altro in un istante, con la stessa persona. Dopo aver parlato e bevuto, si creava quel silenzio che precedeva di poco il bacio e tutto il resto, di colpo bisognava andare indietro con la mente, azzerare le parole, trovarne di nuove nel linguaggio dei muti. Quel linguaggio espressivo e ingenuo riusciva qualche volta a trasformare le persone, a dare loro un'altra natura. Una trasformazione rara, perché le donne faticavano a lasciarsi andare, volevano dare sempre un'idea di sé soddisfacente e l'uomo in fondo faceva altrettanto.

Con Sabina era stato diverso. Si erano visti nell'atrio di un teatro dove un regista stava facendo dei provini. Seduti vicini, non si erano parlati, solo guardati di tanto in tanto. Il profumo di rose gli aveva fatto alzare lo sguardo dal giornale. Aveva notato il viso minuto con gli zigomi alti, gli occhi blu scuro che sembravano neri come i capelli, la pelle bianca. Doveva essere una ragazza corteggiata, sicuramente era già andata con molti. Al bar, dopo il provino, un amico li aveva presentati e Franco aveva scoperto, dal modo in cui teneva bassi gli occhi, che Sabina era timida e insicura. Avevano fatto l'amore qualche giorno dopo, senza essersi raccontati molto. Nella luce piena del giorno, Sabina si era spogliata senza esitazioni, lo aveva toccato, maneggiato in modo gentile, familiare, con dimestichezza e senza enfasi, aveva reagito ai suoi gesti come fossero quelli che si aspettava. Subito dopo, quasi senza interruzione, aveva nascosto il viso sulla sua spalla, era ridiventata timida e insicura. Franco era stato con donne adulte che facevano l'amore come bambine e ragazze di vent'anni che si muovevano come prostitute. Una volta, a diciott'anni, era stato sedotto dalla cassiera del bar dove andava a bere e a giocare a biliardo invece di entrare a scuola. Si chiamava Mariangela. Il suo pullover puzzava di un profumo dolciastro, le labbra lucide e colorate gli sorridevano, gli occhi erano molto truccati e aveva gambe lunghe che accavallava sotto la gonna corta. Nel suo appartamento si era stesa vestita sul letto accanto a lui; a Franco batteva il cuore. Per mezz'ora Mariangela gli aveva sussurrato all'orecchio frasi innamorate, baciandolo senza allusione a un loro possibile congiungimento. Franco, impaziente, aveva cominciato a spogliarla, lei sospirando si era lasciata fare, come fosse qualcosa cui bisognava sottostare, anche se l'amore sussurrato all'orecchio era molto più eccitante. Era venuta, o almeno così sembrava, coprendo il suo viso di baci teneri. Erano stati insieme per un po', con lei aveva sperimentato un amore senza preconcetti né paure.

Ma la trasformazione di Sabina lo aveva fatto innamorare. Si chiedeva ogni volta, e anche ora radendosi, se lei stesse bene con lui. Non recitava, ne era sicuro, o almeno, da attrice, sapeva farlo tanto bene che non se n'era mai accorto. Anche lui era attore, scene d'amore ne aveva interpretate: sempre le stesse posizioni da contorsionisti, in piedi contro un muro, gli stessi angosciosi ansimi finali. I gesti di Sabina e il suo corpo lo eccitavano e lo commuovevano. Lo lasciavano sempre con l'idea che forse a lei non piacesse quanto a lui. Sabina era così scrupolosa, intima e familiare. A Franco, che era figlio unico, pareva di essere accarezzato da una sorella amata e spiata nell'infanzia. Quella lieve atmosfera d'incesto restava fra loro per un po', poi Sabina nascondeva il viso nel cuscino o sulla sua spalla, non lo guardava subito, sembrava dire:

"Cos'ho fatto?".

# 6.

"Siediti che ti racconto, non è male per niente questo libro. Sei bagnata?"

Emilia le prende l'ombrello gocciolante dalle mani, lo lascia nell'ingresso.

"Ho camminato solo dalla macchina a qui e sono zuppa!"

"Ti faccio un tè?"

"Sì, ma non al pistacchio."

Emilia ride. È così felice che lei sia lì, due ore le ha promesso, due ore!

"Twinings rosso, va bene?"

"Mi scaldo in salotto mentre metti l'acqua sul fuoco, ho un freddo da pazzi."

Sabina si siede sulla poltrona di Emilia, si avvolge nella coperta da vecchietta. Ai suoi piedi il cesto vuoto di Sara.

"Dov'è il cane?"

"Da mamma. Non tornano, la tiene a dormire a casa sua. Domani mattina deve fare il vaccino."

"Dorme dalla nonna!"

"Spiritosa!"

Che buon odore ha la coperta di Emilia, un odore da bambina, la stessa colonia che metteva da ragazza.

"Allora, ti piace questo libro?"

"Sì, aspetta un attimo e ti racconto, poi se vuoi me ne leggi un po'."

Sul telaio c'è il frammento di un nuovo tappeto, a losanghe alternate arancione e turchese con in mezzo una piccola stella.

"Bello il tappeto, la stella è una novità."

"Com'è?"

"Fa un po' arazzo, ma mi piace, è elegante."

"È per la camera di una bambina: la madre ha visto un mio tappeto da un'amica ed è venuta qui, ha soldi da spendere."

"Beata lei."

Emilia si affaccia sulla porta.

"Hai problemi di soldi?"

"Sempre gli stessi. Franco non lavora da sei mesi. Non dirmi che dovrebbe fare il doppiaggio: a me piace, a lui no."

"Non ti ho detto niente, comunque se vuoi posso prestarti dei soldi. Lingue di gatto o bastoncini al cioccolato?"

"Lingue di gatto, grazie. Ah, avere una madre che ti fa la spesa e ti porta le merendine!"

Com'è calda e protettiva quella stanza, anche troppo. I libri sugli scaffali sono quelli che Emilia ha letto prima di diventare cieca: romanzi russi e francesi, con le sottolineature, i *Buddenbrook* in edizione economica. Se li sono scambiati, forse qualcuno è suo. Tessuti, cornici, cuscini, lampade erano nella casa che Emilia ha diviso con la madre fino a vent'anni. Si muove tra oggetti che conosce, non ne vuole di nuovi. Nessuno sa mai cosa regalarle: libri sonori, fiori, dischi, profumi, creme per il viso, non vuole niente che rimanga e che non abbia già visto. Sabina chiude gli occhi, lo fa spesso quando pensa a Emilia. La stanza è sempre lì, nel buio, come d'estate quando si chiudono le persiane per il caldo, o di notte quando si sta per addormentarsi. Sabina capisce perché Emilia respinge tutto ciò che è nuovo, per non sentirsi cieca.

"Ecco, bevilo caldo. Non ti alzare, sei stanca, hai diritto alla mia poltrona! E poi forse le darai una linea diversa, ci sto seduta così tante ore che ha preso la forma del mio corpo."

Quando te ne andrai sognerò di te annusando la coperta.

"Allora, ti racconto?"

"Vai."

"Carla, si chiama Carla, te lo ricordi?, è fuggita di casa. O meglio, si è nascosta nella loro casa al mare e il marito e i due figli non hanno idea che lei sia proprio lì. L'hanno cercata, è arrivata la polizia, poi se ne sono andati tutti. È rimasta sola, con il mare, il silenzio delle case abbandonate. Dalla villa dei vicini è rientrata nella loro. Vive al buio, senza aprire finestre né accendere luci. Con quel po' di sole che entra di giorno dalle persiane. È molto bella la descrizione di come vede la sua casa. Così diversa da quando ci viveva con loro. Scopre ogni oggetto come fosse nuovo, si addormenta nel letto del figlio con addosso il pullover del marito. Mangia scatolette, legge giornali vecchi e i libri incartapecoriti dalla salsedine, come una naufraga nella sua stessa casa. Insomma, per fartela breve, ci vive finalmente un po' da sola. Viene l'inverno, il freddo. Carla comincia ad allontanarsi, ti ricordi?, aveva paura di tutto, non riusciva più a vivere senza paure. Così l'allontanamento è graduale, prima il giardino, i gatti selvatici che ci abitano, poi la strada, sempre nascosta dai cespugli. Finché un giorno prende tutti i soldi che ha, qualche vestito e si fa dare un passaggio da una coppia di turisti. Li osserva mentre lui guida e la moglie gli indica la strada, le pare di rivedere se stessa in viaggio con il marito. Si fa lasciare in una città vicina, dove trova lavoro in un albergo come cameriera. Al proprietario dell'albergo dà i suoi documenti, spera che abbiano già smesso di cercarla, è passato del tempo. Non vuole starci molto, solo guadagnare un po' di soldi per poi andarsene da qualche altra parte. L'albergo è moderno, un posto per congressi, uomini e donne soli in viaggio di lavoro, uomini soprattutto, a cui lei serve la cena, rifà il letto. Sbircia nelle loro valigie e pensa che sono anche loro, come lei, via da casa e molto diversi dal solito. Ne ha visto uno al ristorante, mentre mangiava da solo, e le piace. Sono arrivata qui... non è male, vero?"

"Per niente, anzi. Vuoi che legga?"

"Sì. Ah, in tutta la storia c'è un'atmosfera di suspense, come se a questa Carla dovesse succedere qualcosa di brutto. È lì, prendilo, accanto al registratore, pagina cinquanta."

Amore, l'ho lasciato nel punto in cui la donna fruga nella valigia dell'uomo che le piace. Sono erotici i suoi gesti, voglio sentirli ripetere dalla tua voce.

"*Carla accarezza la sua biancheria, vorrebbe mettergliela a posto nei cassetti che ha appena pulito, ma non può farlo...* Da qui?"

"Sì, da qui."

"*...ma non può farlo, sfiora con un dito i calzini appallottolati, le mutande piegate in due, il collo delle magliette. Sono di cattiva qualità, non come quelle del marito, per questo l'attraggono. Anche la valigia è ordinaria. Pensa all'uomo, lo immagina mentre si veste in bagno dopo essersi lavato. Infila le mutande, poi, seduto sul bordo della vasca, o sul letto disfatto, i calzini. Ha già messo la maglietta guardando il mare dalla finestra, oltre la strada,* *nella luce grigia di quel mattino d'inverno. Si sente solo, nudo davanti al paesaggio, infreddolito all'idea della giornata di lavoro in un ambiente estraneo. Carla vorrebbe abbracciarlo nel vuoto che condividono, cui ora è abituata. A casa bisognava evitarlo a tutti i costi, riempirlo di gesti veloci, preoccupazioni, progetti per sé, per il marito, per i figli, di paure che poi si riducevano a una sola, non stare in quel vuoto che la riportava a sé. Immagina di passare le dita fra i capelli neri, radi, di aprirgli la bocca con la sua, fissare gli occhi ingranditi e distorti dalla vicinanza mentre una mano di lui le stringe il seno sotto la camicetta e la sua si infila nelle mutande appena messe, comprate un sabato in giro con la moglie. Un rumore di chiavi la sorprende. Carla chiude la valigia, tira su il lenzuolo del letto che aveva appena iniziato a fare.*

"'Oh, mi scusi, l'ho spaventata.'

"Lui guarda sorpreso il rossore sul viso, la paura negli occhi.

"'Sto rifacendo la camera, il cartello "non disturbare" non c'era.'

"'Continui pure, ho dimenticato una cosa, vado via subito.'

"Carla tira le coperte, sprimaccia i cuscini ma non lo perde di vista con la coda dell'occhio. L'uomo ha aperto la valigia, si ferma un secondo, e a lei pare che la stia guardando un attimo, prima di continuare a frugare in cerca di qualcosa. Non può essersi accorto che lei ha toccato le sue cose, a meno che non sia un maniaco dell'ordine. Infine trova quello che cercava, chiude la valigia. Carla spruzza il Vetril sul ripiano della scrivania, sposta il posacenere vuoto, passa lo straccio veloce.

"'Arrivederci, e mi scusi ancora per la paura che le ho fatto prendere.'

"Le tende due monete, Carla allarga la tasca del grembiule, la mano dell'uomo le lascia cadere dentro. La porta sbatte, Carla chiude gli occhi, aspetta che il cuore si calmi, poi passa a pulire il bagno.

"Più tardi, spogliandosi nel sottotetto dell'hotel La Palma, come ogni sera da un anno, pensa di tornare dal marito e dai figli. Si figura l'angoscia della scomparsa, il dolore, i sensi di colpa, la rassegnazione. Meglio lasciare tutto così, che la credano morta, da morta l'ameranno ancora, la perdoneranno. Si lava, si infila la camicia da notte nuova. Domani sera dovrà uscire con Valentina, l'ha invitata già tre volte al cinema, non può rifiutare."

Sabina si ferma, alza gli occhi dal libro.

"Chi è questa Valentina?"

"La barista dell'albergo: secondo me si è innamorata di lei, o almeno lei lo pensa, per questo non ci è ancora voluta uscire."

"Addirittura... ha paura di tutto questa Carla."

Alt, indaghiamo.

"Be', è sola, lontana dalla sua famiglia, cerca di non mettersi in situazioni rischiose... tu non faresti lo stesso?"

Sabina tace, ci pensa su. A Emilia batte il cuore.

"Mi sembra più rischioso farsi sorprendere dall'uomo mentre fruga nella sua valigia, che uscire con una ragazza a cui piacciono le donne."

Emilia pensa a come reagirebbe Sabina se lei si dichiarasse. Potrebbe lasciarsi cadere in ginocchio davanti alla poltrona, baciarle il palmo caldo delle mani, il collo, il viso. Confessarle finalmente la sua passione vecchia come la loro amicizia, la paura che ha avuto tutti questi anni che lei si allontani, non venga più a trovarla, la lasci sola nel buio.

"Però potrebbe essere difficile rifiutare l'abbraccio di un'amica."

"Non sono amiche, si sono appena conosciute nell'albergo o sbaglio?"

"Sì, certo, si sono appena conosciute."

Sabina sorride: Emilia è timida, non ha mai avuto il coraggio di dichiararsi e pensa che lei non se ne sia mai accorta. Dai quattordici anni hanno condiviso la vita. Sabina ricorda le occhiate di Emilia negli spogliatoi del tennis, durante le vacanze al mare. Non è bastata la malattia a giustificare l'assenza di ragazzi. Com'è ingenua, pensa Sabina.

"Comunque la paura è contagiosa. Sto doppiando un telefilm, un thriller, una cretinata a effetto, però fa paura. Una ragazza corre in un parco, è assalita, stuprata, uccisa da un uomo e un poliziotto cerca il colpevole. Ho visto la stessa scena tante di quelle volte, eppure da quel momento corro con una certa apprensione. Mi pare di sentire dei passi, spio dietro gli alberi per vedere se si nasconde qualcuno... Una cosa da pazzi."

Emilia le tende il piattino con le lingue di gatto.

"Chi è il colpevole?"

"Non lo so, io doppio la vittima; dopo la sua morte, tranne alcuni flashback in cui ritorna per angosciare il poliziotto, non parla più."

"Per questo ti è rimasta la paura, a parte la coincidenza che correte tutt'e due, non sai chi devi temere. Dev'essere qualcuno che la ragazza conosce bene, è sempre così che succede."

"Chiederò all'assistente chi è lo stupratore, sempre che l'abbia capito. Vado avanti a leggere?"

"Sì, se vuoi."

Sabina cerca il punto nel libro. Emilia immagina il viso minuto, gli occhi blu scuro nascosti dalle palpebre color glicine. Quando potevano parlare fissandosi negli occhi, le sembrava di nuotare nuda in quelli di lei; Emilia doveva smettere di guardarla perché si distraeva e non l'ascoltava più. La voce di Sabina, la sua bella voce da doppiatrice, riempie di nuovo la stanza con la storia di Carla:

*"Carla si infila nel letto. Pensa di nuovo all'uomo che l'ha sorpresa il mattino, mentre frugava nella sua valigia. Si sono incrociati per la strada nella sua ora di riposo. Lui era in compagnia di altri uomini, tutti vestiti uguali. Partecipano a un convegno sul futuro dell'economia, l'ha letto sulla bacheca nella hall del grande albergo sul mare, da dove l'ha visto uscire all'ora di pranzo. Per Carla però ormai lui è diverso dagli altri, è suo. Spegne la luce sul comodino, rinuncia a leggere.*

*"Immagina l'incontro, la passeggiata, il primo abbraccio. Lo faceva spesso da ragazza prima di addormentarsi, con amici dei suoi genitori, anche con un passante che aveva attirato la sua attenzione, lo faceva diventare suo. Dopo il matrimonio, con la nascita dei bambini, quando la sua vita aveva preso il ritmo frenetico che la costringeva ad andare avanti di mattino in mattino, non aveva smesso di fantasticare sugli uomini.*

*"Immagina di accarezzare la mano dello sconosciuto sul tavolo del ristorante e di chiedergli del suo lavoro. Lui cerca di semplificare per lei i termini di quella questione così difficile sull'economia mondiale, cosa può capirne una cameriera? Non saprà mai che lei è laureata in economia e che lavorava in un prestigioso ufficio studi. Gli porrà domande semplici come lei ora è, in questa sua seconda vita all'hotel La Palma. 'Se nei nostri paesi la gente è troppo ricca per comprare e far lavorare le industrie, allora potrebbero spassarsela un po' gli altri, quelli che vivono nei paesi poveri per esempio.' Vuole vedere se sarà più bravo di lei a rispondere alle domande che le facevano i figli. Com'era difficile far capire a dei bambini che un sistema economico libero si può governare solo indirettamente, che devi sempre lasciare a ognuno l'idea che sta lavorando per sé, per la propria famiglia, e che non puoi trasporta-*

re gratis miliardi di beni da un continente all'altro. E infatti lui non ci riuscirà e lei gli darà un bacio sulla mano che tiene fra le sue dicendogli: 'Lascia stare, sono argomenti troppo difficili per me, facciamo l'amore invece'. E lui farà l'amore con Carla la cameriera dell'hotel La Palma e lei reciterà quella parte sino in fondo, e le piacerà. Carla si addormenta e pensa che domani lo abborderà".

# 7.

Franco ormai fissa senza ritegno il regista al telefono. L'aiuto l'ha fatto entrare nella stanza, il regista gli ha fatto segno di sedersi: sono sempre al telefono quando ricevono gli attori. Franco ha lanciato i soliti sguardi fugaci alle fotografie appese alla parete, quelle degli attori già scelti, i protagonisti. Ha cercato un punto della stanza dove poter guardare per non essere invadente. Ha chiesto il permesso, che il regista gli ha accordato con un gesto della mano, di accendersi una sigaretta. Ha dovuto ascoltare la conversazione su dei cagnolini ammaestrati.

"Non abbaiano quando devono, si rifiutano di fare le feste all'attrice. Non sanno fare un cazzo! Lei aveva garantito che erano degli attori fantastici!"

Franco si è immedesimato in quei cagnetti e si è sentito offeso. Ora basta, ha deciso di guardarlo fisso per farlo smettere, vorrebbe andare via e come al solito pensa di cambiare mestiere. Il regista riattacca con un sospiro rumoroso e prolungato. I registi sono molto più bravi degli attori a fingere.

"Mi scusi, una grana, sempre grane."

"Non si preoccupi."

È sempre troppo gentile, troppo educato.

"Mi offre una sigaretta?"

"Certo."

Tutti i registi hanno smesso di fumare e chiedono sigarette in giro.

"Allora, raccontami un po' di te... scusami se ti do del tu, con gli attori mi viene così."

Come con i bambini.

"C'è tutto scritto nel curriculum, gliel'ho portato."

Franco gli tende il book delle fotografie.

"No, no, aspetti, preferisco che mi racconti lei la sua storia, le dispiace, anzi, ti dispiace?"

Sì, mi scoccia molto dover ripetere quasi ogni giorno la storia della mia vita, allegramente, divertito, spigliato. Mi fa schifo, ma comandi tu.

"Mi sono diplomato all'accademia, ormai otto anni fa. Ho fatto molto teatro: prima ruoli piccoli, poi anche da protagonista, Shakespeare, Pirandello, e poi teatro antico, Eschilo."

"Eschilo! Cosa di Eschilo? Mi piaceva tanto da ragazzo."

Da ragazzo, prima di girare queste cazzate per la televisione che ti hanno fatto diventare ricco.

"Oreste, nelle *Coefore*."

"Avanti, recitami qualcosa, ti prego!"

Squilla di nuovo il telefono, Franco vorrebbe dargli un cazzotto, non essersi mai svegliato. Lo ascolta parlare ancora di cagnetti e pensa a Sabina, a quel provino delle *Coefore* che hanno preparato insieme nella casa di campagna di un amico.

Fa freddo, si è messo a nevicare. Dormono vestiti e di giorno provano, infagottati in giacche e strati di maglioni. Finalmente possono essere fratello e sorella, come lei si trasforma per lui ogni volta che fanno l'amore. Oreste ed Elettra accomunati dal sangue versato nella loro famiglia. Di giorno recitano, vomitano il dolore comune; la notte fanno l'amore tremando di freddo come per una colpa originaria.

"Scusami, è un inferno, ma siamo a una settimana dalle riprese."

Franco è commosso per il ricordo, non lo ascolta.

"Eschilo, dicevamo... recitami un pezzo, quello che vuoi."

Franco si alza, infila il curriculum nel book.

"No, non ce la faccio, stanotte ho dormito male, mi scusi."

Il regista lo prende per un polso.

"Siediti ti prego, e poi non ci davamo del tu? Ora dico di non passarmi telefonate, mi interessi veramente, credimi."

Franco si risiede. Il regista urla in direzione della porta di lasciarlo in pace. Poi lo guarda dolce, i registi fanno così quando vogliono ottenere qualcosa da un attore.

"Vorrei sentire un pezzo delle *Coefore*. Consideralo un provino, va bene?"

Franco cerca di far riaffiorare i versi.

"Ho poca voce di mattina, sono un fumatore."

"Non fa niente."

La cucina della casa di campagna, il fuoco acceso. Hanno spostato in un angolo il tavolo con i piatti, il vino si è rovesciato sulla tovaglia, sembra sangue. Sangue versato nelle guerre, nella loro casa: prima la sorella Ifigenia, sacrificata dal padre Agamennone per vincere la guerra, poi il padre ucciso dalla madre che ora lui, Oreste, è tornato a vendicare. "I morti uccidono i vivi," come dirà il servo. Fratello e sorella sono uno di fronte all'altra davanti alla tomba del padre Agamennone da cui tutto quell'orrore è cominciato.

"*Qui proprio me ora vedi, e stenti a riconoscermi, mentre quando scorgesti questa funebre ciocca di capelli e saggiasti nelle mie le tue impronte, ti libravi a volo di speranza, già certa di vedermi. Osserva, accosta al punto del taglio il ricciolo di questo tuo fratello così uguale in tutto a te. Esamina questo tessuto, opera della tua mano, le figure degli animali ricamate sulla trama. Ma chiudi in te questa gioia, non inebriarne la mente: chi ci dovrebbe amare di più, so che è spietato verso di noi.*"

Franco ha recitato senza guardarlo, con davanti agli occhi il viso di Sabina, e ora li chiude per non vedere quello del regista.

"Semplice e forte."

Franco riapre gli occhi, si accende un'altra sigaretta. Non è completamente cretino quell'uomo.

"Perché non continui a fare teatro?"

"Non mi interessa recitare bene un testo, vorrei far provare agli altri l'emozione di una comprensione. Nel teatro è sempre più raro. Teatro di maniera dove non succede nulla. Nel cinema qualche volta può essere diverso, il cinema si contamina con la vita. E poi non guadagnavo abbastanza, forse è solo per questo, senza tante scuse."

"Io faccio televisione, lo sai. Forse potrei offrirti la parte di un medico: è solo un ruolo secondario, diciamo un tritagonista, come si diceva nel teatro greco. Sei stupito che sappia queste cose, vero?"

"Per niente, siamo tutti obbligati a fingere di essere deficienti."

Il regista scoppia a ridere e lancia uno sguardo al pacchetto di sigarette. Franco gliene tende un'altra.

"Prendila, però ti consiglio di confessare a te stesso che fumi, giusto per darti pace."

"Mi sentirei in colpa, se invece le rubo qua e là mi pare di non aver ricominciato veramente. Evito di mettermi in situazioni che mi diano sensi di colpa."

Franco gli accende la sigaretta e pensa alla parte che dovrà accettare per forza, a quell'uomo che scrive e gira ogni giorno pagine di cazzate ma si sente colpevole se compra un pacchetto di sigarette.

"Il senso di colpa lo temiamo più della morte. I protagonisti della tragedia greca si assumevano le loro colpe. Anzi, erano gli dèi a inchiodarli alle loro azioni passate."

Il regista lo guarda aspirando il fumo con un piacere liberatorio.

"Non erano responsabili in proprio neanche di quelle, perché erano gli dèi ad avere in mano il fato."

"Almeno si tormentavano, a noi invece la verità fa paura."

"Sì, è vero. Insomma, questo medico non è un grande ruolo, ma ogni tanto ha qualche battuta non male. La storia si svolge tutta in ospedale: bambini malati, operazioni, pronto soccorso, madri in lacrime... ma in fondo anche nelle *Coefore* non si sta allegri."

Franco ride.

"Il tuo personaggio compare in molte puntate, dovresti essere disponibile per cinque o sei mesi. Se la produzione ti chiama la sera, devi venire. Così non puoi accettare altri lavori lunghi. Ti interessa?"

"Mi deve interessare."

# 8.

La piastra arroventata fuma e puzza di carne, Sabina non deve averla lavata bene la volta scorsa. Non è brava nei lavori domestici: ce la mette tutta, ma si scoraggia facilmente ed è di un disordine adolescenziale. Franco appoggia le bistecche sulla piastra, la carne sfrigola. Le mangiano al sangue, in un attimo sono pronte. Porta nel soggiorno bicchieri e posate, si versa del vino.

"Sabina, le bistecche sono quasi pronte!"

Sul tavolino davanti al divano ci sono i posacenere con le cicche delle sue sigarette accumulate in due giorni, un paio di calze di Sabina, le forbicine delle unghie che deve aver usato forse tre sere prima, la stessa sera in cui si è tolta le calze. Neanche lui fa molto in casa, però il sabato spolvera, passa l'aspirapolvere, fa la spesa, compra i fiori. Lei fa andare la lavatrice, la sua specialità, stende il bucato e pulisce il bagno perché lui non ne ha voglia. Franco si rende conto che originariamente la divisione delle mansioni era più equa, che Sabina a poco a poco lo ha convinto a fare di più.

"Sei così pratico, cosa farei senza di te!"

In cucina gira le bistecche bevendo il vino e la guarda entrare in pigiama, con i capelli corti bagnati.

"E a me niente?"

"È di là, te l'ho versato. Ti stanno bene i capelli corti. Ma perché sei già in pigiama?"

"Sono stanca, il turno è cominciato alle nove."

Gli dà un bacio prima di andare nell'altra stanza a prendere il bicchiere di vino.

"Sono così felice che hai avuto quella parte... e poi recitando le *Coefore*, pazzesco!"

Franco la segue con la piastra in mano, mette le bistecche nei piatti e la riporta in cucina.

"Quell'uomo è uno stronzo, anche se non è scemo. Il copione farà schifo, ma almeno ho trovato un lavoro: faccio il medico per sei mesi, meglio di niente."

"Chiedigli se hanno bisogno di un'infermiera, così smetto il doppiaggio per un po'."

Franco si siede di fronte a lei, la guarda mangiare veloce, con gusto, un boccone di carne, uno di pane intinto nel sugo, come una bambina affamata.

"Potresti anche smettere del tutto finché lavoro io."

"Non posso dire di no: il direttore non mi farebbe più lavorare e io non voglio uscire dal giro."

"Il lumacone ci prova ancora?"

Sabina si infila un pezzo di pane in bocca, non lo guarda.

"No, ci ha rinunciato."

Ha accarezzato la carne flaccida di quel corpo vecchio, le mani con le macchie scure si sono insinuate nelle sue mutandine. Sabina caccia via quel pensiero, alza gli occhi su Franco, gli sorride teneramente. Lui la guarda serio.

"Te lo ricordi quando provavamo le *Coefore* in quella casa vicino a Orvieto?"

Il giardino con le querce secolari dove correva al mattino, quando lui dormiva ancora. L'odore di legna bruciata e l'umidità della terra.

"Certo che me lo ricordo, era bella quella casa. E la sera andavamo avanti a provare senza stancarci, nessuno ci ascoltava. Peccato, perché eravamo bravi... aspetta, mi ricordo ancora: *perché i figli salvano e tengono vivo il nome dei morti, come i sugheri, reggendo la rete, preservano il filo di lino dal fondo del mare.*"

Morti, sugheri, rete, mare, ha fatto suonare le parole chiave.

"Sai, il regista di oggi è uno che ha letto, che ha studiato. E gira quelle cazzate, ci vuole un bel coraggio."

"Noi le interpretiamo, anzi neanche, io le doppio."

"Dobbiamo vivere, no?"

"Anche lui, probabilmente. È sempre stato così, Franco, sempre, si deve fare ciò che la gente vuole cercando di realizzare anche qualcosa di bello."

Franco lascia cadere la forchetta nel piatto, non ha più fame.

"O invece non sarà che la gente è obbligata a volere ciò che si fa? E la cultura, quello che abbiamo studiato, a cosa ci serve?"

Sabina raccoglie il sugo con l'ultimo pezzo di pane.

"A essere quello che siamo. Mi ricordo una cosa, me la raccontava mio padre. Oggi nessuno può veramente immaginare cosa fosse la tragedia per i greci, forse qualcosa che somiglia al nostro cinema. Anche se gli spettacoli si facevano in posti enormi e gli attori erano piccoli piccoli sul palcoscenico."

"Come all'opera."

Loro quattro a cena, Sabina, il fratello, la madre, il padre che racconta una di quelle storie che per lui sono più attuali delle notizie sul giornale. Il padre va a teatro con i greci; polemizza con i senatori romani, combatte le loro guerre. Tutto quello che succede oggi non lo interessa veramente.

"Mio padre diceva che gli argomenti del teatro greco erano terribili: matricidio, parricidio, infanticidio, incesto, delitto, e gli spettatori subivano emozioni fortissime, rivivevano storie impossibili da nominare nella vita, impossibili da capire fuori del palcoscenico, senza le parole della poesia. Era uno spettacolo molto popolare, la gente curava i propri terrori, era un culto, per noi dopo è diventata cultura."

"Così ti raccontava tuo padre?"

"Sì. A cena, tutte le sere o quasi, ci faceva un racconto del genere. Prendeva spunto anche da un fatto del telegiornale o da una nostra domanda. Sapeva tante cose, ma non voleva essere più di un insegnante di liceo. Gli piaceva studiare, leggere e insegnare a tradurre, soprattutto il senso della traduzione da una lingua morta a una viva. Certe sere, mia madre era uscita per qualche riunione di scuola, lui correggeva i compiti in soggiorno. Io e mio fratello uscivamo di nascosto, passando dietro le sue spalle. Non si accorgeva di niente, era lì, assorto, non sentiva nulla. A volte si infuriava correggendo: 'Non puoi farmi questo! Cosa dici? Ma come ti salta in mente?'. Parlava come se lo studente fosse lì davanti a lui. Era severo, ma si dedicava molto ai suoi allievi e loro lo amavano."

"Tu lo amavi?"

"Perché me lo chiedi?, certo."

"Parli sempre di tua madre, di tuo padre racconti solo storie di scuola."

"Diceva poco di sé. Io e mio fratello pensavamo che i suoi studenti lo conoscessero meglio di noi."

"E così te ne uscivi di nascosto con tuo fratello a far danni..."

Sabina ride.

"Che danni, ero piccola!"

"Ma non sei stata fidanzata anche con un amico di tuo fratello?"

"Ma dopo! Daniele mi portava a prendere un gelato con qualche amico e poi mi riaccompagnava a casa. Ero una bambina per bene, sai."

A Franco pare di vedere, sotto la frangetta bruna ancora bagnata, il viso della bambina di cui tiene la fotografia nel portafogli. Sabina ha un vestito estivo, un gattino fra le braccia e strizza gli occhi per il sole.

"Una bambina bellissima. Se ti avessi incontrato mi sarei innamorato di te anche da piccola, ma eravamo lontani. Quanti anni avevi?"

"Forse sei o sette."

"Io tredici, ero troppo vecchio per te."

Sabina gli tende la mano, lui la prende, le bacia il palmo liscio e profumato di sapone. Com'è pura lei, buona e senza colpe. È troppo bella e trasparente per essere un'attrice. A costo di lavorare solo per la televisione guadagnerà di più, deve smettere il doppiaggio, forse potrebbero anche fare un figlio.

"Sei stanca?"

"Un po', ma fumati una sigaretta, fino alle dieci posso resistere."

Lei ritrae la mano, ma lui l'afferra di nuovo.

"Non lo so se la fumo ora."

Si guardano e vedono come saranno insieme tra poco, i gesti, parti del corpo dell'una, dell'altro, gli occhi incontrati per caso in un movimento. Quelle immagini sono vive e imbarazzanti, insostenibili, appartengono a un altro mondo che è sempre lì, vicino ma nascosto dall'altro, dalla tavola apparecchiata, dalle bistecche nei piatti, dalle forbicine delle unghie. Sabina e Franco si alzano, si abbracciano, nascondono i volti sulla spalla l'una dell'altro.

Quello che accade in quest'altro mondo è innominabile, le parole che abbiamo servono a poco, quelle che possiamo scambiarci e quelle per raccontare. Le immagini sono ancora più traditrici perché stupiscono, eccitano, ma lasciano fuori. A volte si riesce a descrivere una sensazione, un gesto. Esattamente come l'occhio, ora che sono abbracciati, così ravvicinato alla pelle dell'altro, riesce solo a incrociare un dettaglio, i pori di una zona della pelle, un'imperfezione, un piccolo neo all'attaccatura del collo. Se chiudono gli occhi e diventano ciechi, ogni contatto si trasforma in un'onda che può portarti via all'improvviso, senza che te ne accorgi, e ti fa dimenticare di te. Forse è quello che cerchiamo.

# 9.

Non c'è sua madre quella notte, e lei ha la febbre. Dov'è andata? Non c'è neanche suo fratello. Dove sono? La mano del padre spegne la luce sul comodino: l'ha vista tante volte stringere la penna, la matita rossa e blu. È grande, non dà schiaffi. Come è arrivata nel loro letto? Ci va qualche volta quando ha paura, ma questa sera è stato lui che l'ha presa in braccio, l'ha portata lì, una luce è accesa sul comodino. Le parla, ha una voce strana, infantile. Con la mano lunga spegne la luce, nel buio le dice di fare qualcosa. Che cosa? Ma ecco, è mattino, e lei è tutta bagnata. Ha fatto la pipì, che disastro, proprio nel loro letto! Lui le ordina di mettere le lenzuola a lavare e di cambiarsi perché prenderà freddo e ha avuto la febbre. Lei è così brava a caricare la lavatrice! Ora la voce è quella di un altro doppiatore, lo stesso che doppia il padre ogni giorno. Da capo, da capo tutta la scena! Forse è entrata in un film e lei deve doppiarla, perché gliela fanno rivedere tante volte, di continuo, sempre le stesse azioni, gli stessi gesti, le stesse parole. Prima ha la febbre, chiama la madre ma lei non c'è, non c'è neanche il fratello. Il padre la porta nel letto matrimoniale, una luce è accesa sul comodino. Lei è stesa dal lato della madre, accanto alla porta. La mano del padre spegne la luce, l'ha vista tante volte stringere la penna, la matita rossa e blu, somiglia a quella del direttore del doppiaggio. Le dice di fare qualcosa, ma lo schermo è buio, cosa deve fare, cosa deve doppiare? Ditemelo, non posso saperlo se non vedo la scena! È tutto buio! Non posso sapere cos'è successo! Non posso inventare! Sono una doppiatrice, ho bisogno della scena e poi ci metterò l'intonazione giusta, la paura giusta. Accendete la luce! Ecco, è tutta bagnata, è mattino. Il pa-

*dre si alza con il pigiama bagnato, la guarda. "Cos'hai fatto?" le chiede, come agli studenti mentre corregge i compiti. "Cos'hai fatto?" Le dice di mettere le lenzuola in lavatrice e lei lo fa come una donna grande, e intanto pensa: cos'ho fatto? Perché il pigiama del padre è bagnato, era così vicino a lei da bagnarsi anche lui? Perché era così vicino? Il loro letto è grande, come ha fatto a bagnarsi? Come ha fatto a bagnarsi?*

Come ha fatto a bagnarsi?

Sabina si lamenta piano, nessuno la sente. Franco dorme e russa accanto a lei. Sabina ha ancora gli occhi chiusi, le lacrime scendono in silenzio per fortuna. Si tocca, è nuda, il lenzuolo bagnato tra le gambe. Cos'ho fatto? L'amore ieri sera con Franco, e si sono addormentati subito dopo. Con il piede cerca il pigiama in fondo al letto. Deve muoversi piano, Franco ha il sonno leggero. Scivola fuori dalle coperte, gelata, tasta il pavimento al buio cercando il pigiama. Non c'è niente per coprirsi, resterà nuda così tutta la notte, forse tutta la vita ormai. A quattro zampe, toccando la parete, cerca di raggiungere la porta. Dovrebbe esserci! Emilia, dove sei, amica mia? Lei potrà aiutarla, lei che ha dentro di sé i suoi ricordi potrà aiutarla a capire come ha fatto il padre a bagnarsi, perché era così vicino a lei, perché lei era nel suo letto. Franco non deve saperlo mai, nessuno, neanche suo fratello. La porta. La apre piano, la chiude sul sonno del suo amore. Lui è così puro, non deve sapere niente.

# 10.

L'alba arriva improvvisa e veloce, uno spicchio di luce rosa sulla piastrella della cucina. Sabina alza gli occhi dalla tazza vuota che tiene fra le mani. In Turchia, in quel viaggio con Franco, qualcuno le ha letto il futuro nei fondi del caffè. Oggi vorrebbe sapere il passato, ma nella sua mente non ce n'è traccia. Ha analizzato la questione da ogni lato, vuole essere razionale, vorrebbe ancora spogliarsi senza pensarci davanti agli occhi di Franco, vorrebbe essere felice. Un sogno non è niente, ma quando il sogno si intreccia a una realtà e la stravolge? Niente ancora, fantasia, immaginazione. Così tutto ritorna a essere quello che lei ha conosciuto: la casa, la madre, il fratello, il padre. E allora perché ha paura di raccontarlo a Franco, a chiunque, anche a Emilia? Emilia le direbbe di crederci perché lei non ama gli uomini. A Sabina invece piacciono molto: anche ora, dopo il sogno e quel risveglio terribile, se pensa a Franco addormentato nel letto vorrebbe abbracciarlo e stendersi in pace accanto a lui. Da dove è uscita quella scena d'orrore, dopo tanto tempo, quando sono tutti morti, partiti, e la cenere è sparsa sulla casa? Perché quel sogno l'ha cercata dopo tanti anni? Quale sentimento, azione, scelta, nella sua vita da sveglia, assomiglia a quel sogno? Ci ha pensato fino a che lo spicchio di luce rosa le ha fatto alzare gli occhi verso la finestra, senza trovare nulla. Non c'è nesso tra quello spicchio di luce e il buio della notte appena passata, tra suo padre e l'uomo del sogno.

Oppure deve pensare a se stessa come a una donna sconosciuta che il sogno le ha messo davanti all'improvviso. Le viene in mente Carla, il personaggio del libro sonoro di Emilia. Carla vaga nella realtà senza passato – l'ha lasciato al marito, ai figli – in cerca di un'esistenza sepolta dentro di sé. Ma lei non può farlo, dove potrebbe andare? Deve vivere le due vite insieme, una con Franco, Emilia, i colleghi di lavoro, il fratello lontano, e l'altra notturna, alla ricerca della bambina con la febbre che il padre ha portato nel suo letto. Oppure lasciare tutto com'era, al buio. La possibilità di far coincidere le due donne l'atterrisce, non ci crede. Sabina vuole essere una donna normale. Mentre la cucina si rischiara rivelando i resti della cena, pensa per l'ennesima volta che non c'è nulla di vero in quel sogno, che è una fantasia strana, senza fondamento.

Per saperlo bisognerebbe resuscitare la loro casa.


Nel minuscolo ingresso c'è la libreria con i libri di testo e i dizionari disposti su due file. Dallo scaffale su cui è appoggiato il telefono, ogni volta che si chiude la porta d'entrata volano fogli di carta, appunti, rotolano a terra penne che non scrivono. Sono tutti e quattro disordinati, ma non ci sarebbe spazio sufficiente per fare ordine. I libri, i quaderni, sono ovunque. Sul tavolo da pranzo, in cucina, nella sua stanza e in quella del fratello ricavate da una camera sola, due spicchi di stanza. La madre ha fatto tirare su un tramezzo, anche il pesco sulla strada è diviso a metà. Sabina sente la tosse del fratello prima di addormentarsi, studia la notte. Daniele fuma quanto Franco, ha iniziato presto, a quattordici anni. All'improvviso Sabina ha voglia di rivederlo, di conoscere i bambini. Forse a Natale potrebbe andare in America a trovarli. Pensa a come reagirebbe il fratello se gli scrivesse del sogno, ma non oserebbe mai farlo. Daniele è razionale e distaccato, vive nel passato come il padre, però ha voluto abitare in un mondo che ne ha poco.

Sabina gira con la mente per le stanze dell'appartamento in cui sono cresciuti. Tutto è immobile, appena dissotterrato da un archeologo, gli oggetti coperti da un sottile strato di cenere. Loro quattro fissi nelle stanze, in alcuni atteggiamenti, sorpresi dalla sua entrata improvvisa. Da bambina, prima di addormentarsi, immobilizzava il mondo, le persone: lei era l'unica in grado di muoversi, di rubare gli oggetti, di fare scherzi. Così è ora con loro quattro sepolti nella casa, cerca le abitudini, il modo in cui vivevano, i loro sentimenti.

In cucina la madre alza la testa dal libro appoggiato sul tavolo, accanto a lei c'è una ragazza con la coda di cavallo, la penna in bocca. Alle loro spalle qualcosa cuoce sul fuoco. La madre è sempre attiva, non si ferma mai, ha orrore della pigrizia. Fanno tutto insieme, vanno a comprare i vestiti, i quaderni e le penne in cartoleria, i libri. Nelle agenzie di viaggi, quando viene l'estate, cerca un posto che non costi troppo dove mandarli a studiare l'inglese. Ha pazienza con tutti e tre, come fosse la missione della sua vita, ma non può fermarsi e ascoltare perché ha troppo da fare. Una ciocca di capelli castani un po' ingrigiti le ricade sulla guancia, non ci pensa a tingerseli, non è nel suo stile. Qual è lo stile della madre? È sempre vestita con lo stesso paio di pantaloni, lo stesso pullover e d'estate la stessa maglietta, cambiano i colori, il modello è identico. Era bella, forse: ha gli occhi neri come Daniele e il naso piccolo come il suo. Non c'è un momento di vita infantile senza la madre, per questo forse di preciso non ricorda niente, né un discorso né un momento in cui si sono conosciute. Una fila ininterrotta di attività.

Nella loro stanza divisa in due, le porte si aprono una accanto all'altra, di fronte ci sono la camera dei genitori e il bagno, uno soltanto. Daniele è alla scrivania, è tardi, il posacenere pieno di mozziconi, la finestra aperta anche d'inverno. È stato al telefono tutto il pomeriggio con la ragazza e con gli amici, è un diritto che ha strappato alla madre. La madre cerca più che può di non contrariarlo, vuole che il padre sia lasciato in pace. Daniele ha un carattere forte, Sabina è più arrendevole, così hanno sempre detto tutti. Daniele studia di notte, beve caffè e fuma. È bravissimo a scuola perché sullo studio la madre non viene a patti. Sabina è nata otto anni dopo di lui, per sbaglio ha sempre pensato, forse perché la camera era una sola e la madre ha dovuto dividerla.

Apre la porta della sua vecchia stanza, la ragazzina se stessa è sdraiata sul letto, non le piace studiare alla scrivania. Alla scrivania ci sta Emilia, quando viene il pomeriggio, con la luce puntata sul libro perché ha già cominciato a perdere diottrie. La madre le ha comprato una lampadina speciale. Le due madri si sentono ogni tanto al telefono e parlano delle figlie, della loro amicizia, degli occhi di Emilia.

A Sabina non piace niente che sia definitivo. Vuole giocare con un piede mentre studia, è snodata, va a un corso di ballo due volte alla settimana e riesce a stare venti secondi ferma sulle punte. Voleva fare la ballerina prima di diventare attrice. La madre le ha comprato un tutù corto e delle scarpette rosa, anche il padre è venuto a vederla al saggio e ha applaudito.

Sabina chiude la porta della casa dei morti, si alza, mette la tazza nel lavello.

Cosa ha provocato il sogno? Il telefilm che ha appena finito di doppiare, l'amore con Franco ieri sera o il ricordo della tragedia che provavano insieme?

*Perché i figli salvano e tengono vivo il nome dei morti, come i sugheri, reggendo la rete, preservano il filo di lino dal fondo del mare.* Gli antichi conoscevano le parole per raccontare queste cose, non avrebbero avuto orrore di parlarne, noi riusciamo solo a scandalizzarci davanti a un articolo di giornale, una notizia alla televisione.

Ha freddo, ma non vuole essere scaldata da nessuno, incrocia i piedi nudi, saltella davanti alla finestra come davanti all'entrata di scuola, allegramente, e pensa che tra poco andrà a correre, sarà forte, imprendibile, fatta d'aria, come quando danzava.

Da lontano, dal palcoscenico dove ha ballato con le altre, ha visto il volto del padre, il suo sorriso, le mani che l'applaudivano. Le sue mani lunghe. Raro vederlo fuori casa, vederlo sorridere. Sabina non può continuare a pensarci, non vuole entrare nel soggiorno dove lui corregge i compiti, studia e scrive il libro della sua vita, non vuole che lui alzi gli occhi su di lei, non per il momento, forse mai, vuole continuare a vederlo nel buio della sala, mentre sorride e applaude il suo assolo al saggio.

# 11.

Maria, l'assistente, ha rinunciato alla bellezza: mangia tramezzini spalmati di maionese, beve caffè e fuma. Sabina è incuriosita dalla sua indifferenza: invecchia e non gliene importa niente.

"Mia figlia Carolina studia a Parigi e mi costa un sacco, così non mi posso ancora permettere di mandare lo stronzo a quel paese."

Sabina ride e le fa segno di asciugarsi una traccia di maionese sulla guancia.

"Dopo dovrai comunque lavorare, no?"

"Certo, ma non con lui, stando nove ore chiusa là dentro. A Parigi ci sono dei bellissimi negozi per neonati, qui invece fanno schifo: voglio provare ad aprirne uno con un'amica. A te piacciono i neonati?

"Sì, credo... non ho molta esperienza."

"Mmm, quell'odore che hanno sulla pelle... e poi sono tutti disarticolati, si muovono, si stiracchiano e ti guardano seri. Sembrano venire da un altro mondo. Divento pazza, mi fuggono i denti dalla tenerezza! Non vedo l'ora che Carolina ne faccia uno."

"E quando crescono?"

"A poco a poco diventano come tutti."

"Dovresti avere un capitale, anche piccolo."

Maria si toglie gli occhiali e si strofina con violenza gli occhi rossi e gonfi.

"Non mi preoccupa se Carolina non ha più bisogno di me. Te l'immagini la faccia dello stronzo quando gli chiederò la liquidazione? Ci sei andata a letto anche tu?"

Sabina arrossisce, resta senza parole.

"Non sei costretta a dirmelo. Io ci sono andata quando ero ancora sposata e cercavo lavoro. Carolina aveva due anni, ho avuto tanti di quei sensi di colpa... Mi sembrava di essermi innamorata, che cogliona, non ci dormivo la notte. E invece anni dopo mio marito non ci ha pensato un attimo ad andarsene con l'amica di Carolina."

"Un'amica di tua figlia?"

"Trent'anni meno di lui. Era ripetente, i genitori se ne disinteressavano. Carolina l'aiutava nei compiti, l'ultimo anno di scuola, lei purtroppo è buona come me. Studiavano fino a tardi, preparavano l'esame di maturità. Lui – non l'ho più chiamato per nome – la riaccompagnava la sera a casa, ero io che insistevo: era tardi, avevo paura che le succedesse qualcosa."

Maria si pulisce le mani con un tovagliolino di carta, si accende una sigaretta. Sabina non vede nessuna traccia di dolore residuo.

"Dev'essere stato terribile quando te ne sei accorta."

"Non me ne sono mai accorta. Come potevo immaginarlo, come si può immaginare una cosa del genere? Sai, hanno criticato molto Mia Farrow per quello che ha fatto a Woody Allen, il processo e tutto, ma io la capisco. Come puoi stare zitta quando scopri che tuo marito ha fatto delle foto pornografiche a tua figlia? E *quel* marito! Una persona intelligente, sensibile, diciamo un genio. Be', mio marito non è un genio, ma un uomo intelligente sì, anche fantasioso. Un bravissimo padre. Portava Carolina al parco quando poteva, la faceva giocare, mi aiutava. La sera ci divertivamo anche a casa, ridevamo, facevamo l'amore. Ora mi sembra che sia passato un secolo, ere di glaciazioni, terremoti. Penso a lui come a un passante che ho incrociato per caso. Guardo con stupore il naso di mia figlia identico al suo. Carolina non lo vuole più vedere."

Sabina e Maria fissano la gente che si accalca al bancone per agguantare un panino. Maria sputa fuori il fumo insieme a un sospiro. Sabina avrebbe voglia di farle sentire la sua solidarietà, ma poi pensa che Maria si è costruita una corazza di sarcasmo, ha deciso di intenerirsi solo alla vista dei neonati. E allora dice:

"Difficile capire come possa succedere una cosa del genere, attimo dopo attimo. Forse per una donna è più difficile ancora. Tante cose sono impossibili da capire con la razionalità".

Maria continua a guardare dritto davanti sé.

"Ci ho pensato molto quando mi ha lasciato. Dopo ho saputo che erano andati a vivere insieme con il consenso dei genitori di lei, loro comunque della figlia se ne infischiavano già da prima. Immaginavo le loro conversazioni in macchina, mi facevo del male, le occhiate di lui, la ragazzina che stava ad ascoltarlo, i silenzi. E quando lei si è accorta degli sguardi, e quando lui ha pensato che in definitiva non c'era niente di male a pensarlo e poi, di lì a qualche giorno, a farlo, a darle un bacio. La ragazza era sbandata, meno protetta di Carolina. Carina, nemmeno bella. Ho anche avuto dei rimpianti per avergli detto di riaccompagnarla, per averli lasciati soli. Ma che senso ha accompagnare il proprio marito perché non seduca l'amica diciottenne di tua figlia? Se ti capita di pensarci è già finito tutto. E invece sbagliavo."

Sabina ora ha in mente il sogno di qualche notte fa. Era sparito, non ci aveva più pensato, solo un incubo, nessun ricordo né realtà.

"Ma come potevi prevederlo?"

Maria la guarda, la fissa negli occhi.

"Perché non poteva accadere? Poteva anche non succedere, certo, non sempre accade per fortuna, e non a tutti. Forse lui era predisposto, ma non ci credo veramente. Ha avuto voglia di toccarla, questo succede alla maggioranza degli uomini con le donne più giovani, è stato attratto dall'effetto delle sue parole, dall'ingenuità, dalla pelle liscia, dal turbamento di lei, dall'idea che aveva del suo corpo. Il problema non è chiedersi come mai sia successo, ma come mai si sia attratti da queste cose. Oppure, a proposito di Woody Allen, usando proprio una battuta di un suo film: non mi chiedo più perché sia successo, ma come mai non succeda più spesso. Nel film quel personaggio parlava del nazismo e degli ebrei."

Maria schiaccia la sigaretta non ancora finita, guarda l'ora. A Sabina sembra che qualcuno le abbia dato una martellata in testa. Si alzano, infilano i cappotti. Maria raccoglie la sciarpa di Sabina caduta a terra.

"Tieni. Ti ho rotto con il mio racconto patetico?"

Sabina mette la sciarpa nella borsa senza guardarla.

"Sono sconvolta... così tu pensi che queste cose siano normali, anzi ti stupisci che non accadano più spesso."

Fuori fa freddo, ma Sabina non ha voglia di prendere la

sciarpa dalla borsa. Le tremano le gambe e i denti, spera che Maria non se ne accorga. Maria intanto si è accesa un'altra sigaretta, fa il pieno prima dell'astinenza forzata.

"Non ho affatto detto che sono cose normali. Sono assolutamente anormali per me, non sono interessata ai ragazzi dell'età di mia figlia, mi piacciono i neonati, un amore casto, e un tempo mi piacevano anche gli uomini. Ma per molti esseri umani non è così, perché negarlo? Meglio chiedersi perché gli uomini sono attratti dall'ingenuità, o dalla sopraffazione, che in fondo è la stessa cosa. Comunque ho smesso di pensarci quando un mio amico, un produttore, mi ha risposto in modo semplice ed efficace: 'Perché mi si rizza'."

Sabina chiude gli occhi, le gira la testa, si appoggia a un muro. Maria la sorregge.

"Che c'è? Ti senti male?"

"Niente, forse un po' d'influenza. Andiamo che è tardi."

"Sei sicura?"

"Sicurissima."

Riprendono a camminare verso lo stabilimento.

"Ancora due turni, come faremo? Due turni di lacrime, dolori, separazioni, un telefilm veramente melenso."

Sabina ha recuperato, ogni cosa ha ripreso la sua dimensione.

"Non so se preferisco i telefilm melensi o quelli violenti, le macchine della polizia con le luci colorate che inseguono il colpevole, il poliziotto americano con il faccione. A proposito, chi era lo stupratore della ragazza nel parco?"

"Quale ragazza?"

"Quella che corre."

Maria getta la sigaretta non finita sul marciapiede.

"E chi se lo ricorda?"

# 12.

La mensa del teatro di posa sembra quella di un ospedale: dottori, infermiere, portantini, malati in pantofole, bambini. Tutti finti, si vede dal modo in cui le infermiere tengono la mascherina come una fascia sui capelli ben pettinati, dal trucco sciolto, dalla vivacità dei bambini, dalla eccessiva bellezza dei medici.

Franco è seduto accanto a un'infermiera e a un dottore più giovane di lui di qualche anno. Due veterani della serie. La donna, sulla quarantina, mangia con appetito. Franco l'ha già incontrata durante una tournée teatrale, faceva la parte di una cameriera, Goldoni o Čechov. Dall'aria paciosa e ironica potrebbe essere più Goldoni. Anche Čechov, però. Non ha osato chiederglielo. È simpatica, ormai fa l'attrice come un'impiegata, ha due figli piccoli. Il dottore invece ha ancora molte aspirazioni. Gliel'ha presentato l'infermiera e ha subito dichiarato a Franco che quella per lui è l'ultima serie, morirà di fame piuttosto che mettersi di nuovo un camice. Ha il viso di un attore da fotoromanzo, forse è omosessuale. L'infermiera lo protegge, lo tratta come un bambino.

"Non è che qui si lavori male, è come avere un impiego fisso. Per me va bene, ho una famiglia e non ho più vent'anni, ma per un giovane..."

Lancia un'occhiata al suo protetto che infilza senza entusiasmo delle foglie d'insalata.

"Perché non hai preso il primo?, era buono oggi. Sei dimagrito, eh?"

"Non ho fame, lo sai che il lunedì è così."

"Pensi sempre al cinema, ma che t'importa del cinema! Io al teatro non ci penso più. La fatica delle tournée per due lire, per carità... ti ricordi Franco? E poi dove lo trovi un film che ti dia tanta popolarità come la televisione? Tutti ti conoscono. Lo sai che le ragazzine lo fermano per strada? E le signore gli chiedono consigli sulla salute."

Franco ridacchia. All'attore giovane non viene neanche da sorridere.

"Non c'è modo di esprimere niente in questa storia, siamo tutti sottoutilizzati."

La donna gli sorride materna arrotolando gli spaghetti.

"Ma cosa vuoi esprimere? Lui pensa ancora che l'attore debba esprimere qualcosa, lo senti Franco? Tu che ne dici?"

Franco gioca con la sigaretta spenta, si può fumare solo fuori, nel cortile in mezzo ai teatri.

"Lamentarsi non serve a niente, meglio adattarsi a quello che ti capita. Specialmente in Italia, ma forse dappertutto."

L'attore giovane ora lo fissa pieno di interesse.

"Tu fai così, ti accontenti?"

"No, ma mi sono stufato di arrabbiarmi. Cambia qualcosa? Niente."

Deve trovare il modo di sganciarsi da quei due. Il vittimista e la disillusa gli sembrano due caratteri nazionali sfruttati, noiosi, nella vita e nello spettacolo. La morta invece gli interessa, l'ha notata nella prima scena che hanno girato.

Il gruppo dei medici, di cui lui è l'ultimo arrivato, si avvicina alle corsie per il giro mattutino e scopre che la ragazza del letto numero sette è morta durante la notte e nessuno se n'è accorto. Verrà fuori che il colpevole è uno dei medici che la conosceva da prima. Lei, la morta, gli è sembrata bellissima. Forse perché l'ha vista indifesa, raggomitolata nel letto, truccata da cadavere, una gamba ossuta ripiegata sotto l'altra, le braccia strette al petto in posizione fetale, la bocca carnosa semiaperta da cui non esce un fiato. Almeno non dovrebbe.

"Non devi respirare! Sei capace di stare senza respirare per qualche secondo, è così difficile?" le ha urlato il regista con la sigaretta rubata accesa fra le labbra. È l'unico autorizzato a fumare in teatro.

La ragazza resuscitata si è tirata su, ha sorriso ai dottori radunati intorno al suo letto, ha fissato con timore il regista che chiedeva alla segretaria di edizione quanto durava l'inquadratura. Nell'attesa si è tirata giù furtivamente la camicia da notte.

"Cinquanta secondi, sei capace di stare senza respirare cinquanta merdosi secondi?"

Lei ha avuto il coraggio di replicare.

"Non sono mica pochi..."

"Te ne vuoi andare?"

"Ok, ci provo."

Un attimo prima del ciak, la segretaria di edizione le ha tirato su la camicia da notte sulla gamba nuda, sussurrandole all'orecchio:

"Il regista la vuole così".

La morta, raggomitolata nel letto, con l'ultimo fiato ammesso, e prima che il lenzuolo la ricoprisse, ha mormorato:

"Quello stronzo mi ha anche fatto togliere le mutande".

"Non ti preoccupare, non si vede niente."

Bugia da segretaria di edizione. Durante la scena, quando l'attore che fa il primario ha sollevato il lenzuolo, Franco ha intravisto con gli altri medici la peluria bionda tra le cosce magre.

Ora la morta è nel cortile a fumare, la vede dal vetro della mensa, con la vestaglia che si è portata da casa, come una malata vera. Due medici le ronzano intorno. Franco sa che è per la nudità rubata, per l'aria disponibile e indifesa che aveva da morta, lo sa perché attira anche lui.

"Scusate, vado fuori a fumare una sigaretta."

Nell'angolo opposto del cortile Franco fuma senza guardarla troppo. Pensa a Sabina. Dopo la sera delle bistecche è cambiata, si è irrigidita, ha sbalzi d'umore, poi si pente ma rifiuta le sue tenerezze, gli ha dichiarato piena di risentimento che vuole smettere il doppiaggio:

"Ora che lavori tu posso stare un po' a casa, fare qualche provino, cercare qualcosa di meglio".

Le ha detto subito di sì, ma a lei non è bastato, gli ha rimproverato i suoi malumori. Franco si è accorto di desiderarla ancora di più adesso che è nervosa, ma da quella sera Sabina non ha più voluto fare l'amore.

Alza lo sguardo sulla morta, la ragazza si stringe nella vestaglia, gli sorride, un sorriso struggente nel pallore mortale del viso. Si conoscono? Lui non la ricorda. La morta si scusa con i medici con cui stava fumando, si avvicina a Franco. I due lo guardano da lontano invidiosi. Lei gli tende la mano gelata.

"Non mi riconosci? Sono Anita, abbiamo recitato insieme in *Doppio sogno* di Schnitzler, tanto tempo fa."

"Tanto tempo fa, esagerata! Cos'eri, una bambina?"

"Esatto, ero la bambina, tua figlia, non ti ricordi?"

Franco guarda la morta e ricorda la ragazzina bionda, con i capelli ricci. Ogni sera, all'inizio della rappresentazione, ascoltava la favola e poi andava a dormire dicendo: "Buonanotte mamma, buonanotte papà". Li baciava, il padre e la madre, e scompariva dietro le quinte, lasciandoli soli davanti alla loro notte di tradimenti reali e sognati.

"Mi sento invecchiato come un genitore che si accorge di colpo di quant'è cresciuta sua figlia!"

Anita ride, guarda l'ora.

"Andiamo al trucco insieme, così parliamo un po', ti va?"

Nel corridoio l'aiutoregista urla in cerca di attori da mandare al trucco. Il primario è già davanti allo specchio illuminato, sotto i pennelli di una delle truccatrici. Anita si siede accanto a lui, un'assistente le controlla il viso.

"Vado bene, no? Mi pare di essere abbastanza morta."

La truccatrice le lancia uno sguardo.

"No, sei lucida. Rifalle il fondo e gli occhi."

Franco si appoggia allo specchio accanto a lei.

"Allora alla fine hai fatto l'attrice."

"Sì, ma dopo la scuola mi sono iscritta all'università. Tu mi dicevi di studiare, di lasciar perdere il teatro, ti ricordi?"

Franco non ricorda ma pensa che il consiglio era giusto, così annuisce.

"Mi sono iscritta al corso di storia dell'arte. Avevo una passione per la pittura."

Il primario scansa un attimo la spugnetta del fondotinta che la truccatrice gli sta spalmando sulla faccia.

"Anch'io ero a storia dell'arte. Che professori avevi tu? Morganti, Resogni?"

Anita tira su il viso, guarda il primario con un occhio rifatto e l'altro no.

"Dio, Morganti, che bestia! Non veniva mai e ti faceva bocciare dagli assistenti!"

La truccatrice spinge giù il viso del primario con il piumino della cipria infilato nella mano.

"Dai che il regista vi vuole sul set fra pochi minuti!"

Franco sorride, la televisione alla fine fa piazza pulita di ogni velleità.

"E non l'hai finita?" le chiede.

"No, purtroppo. C'era un'atmosfera terribile, i professori non venivano mai, ti lasciavano in mano a degli assistenti incattiviti, per fare un esame dovevi aspettare in piedi sei-sette ore e poi favorivano i figli dei loro amici. Non contava nulla se eri bravo, se avevi studiato."

L'assistente scosta la matita dall'occhio di Anita.

"Mia sorella un anno fa è svenuta aspettando di dare un esame, era iscritta a legge. Le è venuto un esaurimento nervoso, mio padre le ha vietato di tornarci. Così ci ha rinunciato, ha iniziato a lavorare in televisione come truccatrice e ci ha portato pure me. Sei a posto, puoi andare."

Anita si alza, lancia uno sguardo eloquente a Franco, gli cede il suo posto.

"Ti aspetto, così andiamo sul set insieme."

La truccatrice inizia a spalmargli il fondo. Nello specchio Franco vede Anita pronta per fare la morta, con il suo piccolo viso bianco da bambina delusa. *Buonanotte mamma, buonanotte papà.*

"Non mi sento in colpa per aver mollato l'università, ci ho provato veramente, ho dato dieci esami, ma non ne potevo più. Ogni tanto facevo dei provini per mantenermi, per aiutare i miei. Ti ricordi di mia madre?, era la sarta del nostro spettacolo. Né lei né mio padre se la passavano molto bene. Insomma, ho lavorato in parecchie serie televisive, ora sono qui e faccio la morta. Ma tu, tu che eri così bravo, come ci sei finito qui?"

Franco non può rispondere subito, l'assistente gli sta tamponando le labbra con la spugnetta intrisa di fondotinta. Perché lui è lì? Non è abbastanza bravo, abbastanza bello, non è capace di muoversi nell'ambiente? È il suo carattere che non va? Cosa? Ha lottato per diventare attore, ha studiato, ha cercato di migliorarsi continuamente. Mentre la spugnetta gli copre le piccole rughe intorno alla bocca trasformandolo in un giovane modello che fa il medico, con la faccia uguale a quella di tutti gli altri, Franco ha la certezza che non è colpa sua se si trova lì, ma del paese in cui è nato, che ha ridotto ogni aspirazione a favore, ogni talento a mediocrità. Per la prima volta dopo molto tempo si sente in pace con se stesso.

"Anch'io ho provato seriamente a fare l'attore e non mi sento in colpa per non esserci riuscito."

# 13.

"Questo libro è molto interessante. Eppure non sono una facile in fatto di trame, quasi tutte le storie mi sembrano noiose. Forse perché me ne sto qui al buio e ne immagino tantissime. Non so, questa Carla è un bel personaggio. Sono andata avanti, vuoi che ti racconti?"

"Sì."

"Cos'hai, sei triste?"

"No, solo stanca."

"Sei sicura che non hai niente?"

Sabina sbuffa.

"No, non ho niente!"

"Va bene, va bene, non ti arrabbiare."

Emilia prende un nuovo filo arancione, lo lega con due nodi alla trama del telaio.

"All'hotel La Palma, dove lavora come cameriera, Carla conosce l'uomo del convegno. Anche lui l'aveva notata, quel giorno in cui è entrato all'improvviso nella sua stanza, ti ricordi? Carla secondo me è una bella donna, lo scrittore non la descrive mai in modo preciso, gli scrittori oggi non descrivono nessuno in modo preciso. La immagino bruna, il viso leggermente segnato, non magrissima. Secondo me da giovane doveva essere di una bellezza vistosa. Dunque Carla è riuscita, dopo molti tentennamenti, a chiedere all'uomo del convegno se vuole prendere un caffè con lei. Chiedendoglielo è arrossita e a lui questo è piaciuto. Vanno in un bar sul lungomare. Grigio il mare, grigio il cielo gonfio di pioggia, le saracinesche dei locali chiusi. Gli scrittori descrivono dettagliatamente i posti, anche se non capisci mai in che anno si svolge la storia e cosa succede intorno ai personaggi. Dei paesaggi invece sai tutto: la letteratura somiglia sempre di più al cinema, o forse alla pittura perché lo scrittore può escludere tutto ciò che non vuole far vedere. Ma non divaghiamo. I due si domandano le solite cose. Carla risponde con le solite bugie. È una cameriera, ha lavorato in molti alberghi, no, non è sposata. Lui invece non ha mentito, pensa Carla: è sposato, ha due figli ancora piccoli, lavora in banca, è un dirigente. È la banca ad averlo mandato a quel convegno per utilizzare dei fondi sulla riqualificazione aziendale, ma lui si chiede come un convegno su un tema così vasto come il futuro dell'economia mondiale possa riqualificarlo. Parlano un po' di questo e Carla fa domande ingenue, da cameriera, come aveva immaginato di fare, sull'economia, sul mestiere di lui. Gli chiede come si fa a evitare le crisi mondiali. Perché le attività economiche devono sempre espandersi per non morire? Perché si deve sempre produrre di più? L'uomo cerca di semplificare le risposte per lei, ma Carla capisce che in fondo non ne ha, come tutti. Pensa al suo lavoro, agli anni dell'università. Prima di sparire lavorava alla Banca d'Italia, ufficio studi, un posto irraggiungibile, per un'élite di persone molto preparate. Ha studiato in Italia e poi in Inghilterra, alla London School of Economics. Di colpo ci appare stranissima questa donna, colta, preparata, con un lavoro prestigioso, e allo stesso tempo così insicura nella sua vita privata, dipendente dal marito, dai figli, tanto da dover sparire, terribilmente impaurita. Mi ha colpito il modo in cui pensa a sé mentre sta con il bancario. A un certo punto dice, cioè pensa, che in economia tutto poggia alla fine sull'istinto dell'uomo che vuole arricchire se stesso e la sua famiglia, nient'altro, e da questo ancora dipende la nostra società. Come dire: con i ragionamenti, la cultura, non siamo riusciti a modificare la nostra bestialità di fondo ed è lei che ancora fa marciare le cose. È interessante, raro, trovare questi argomenti in un romanzo. Gli scrittori non capiscono molto di economia, se ne disinteressano, danno tutte le colpe al progresso e non sanno di cosa parlano, come la maggioranza degli intellettuali."

Sabina guarda le mani di Emilia che spingono avanti e indietro il pettine del telaio.

"E tu che ne sai? Neanche tu ne sai molto, mi pare, fabbrichi tappeti."

"Appunto, produco qualcosa e nel mio piccolo anch'io ho un sacco di problemi di mercato."

Sabina scoppia a ridere. Emilia è contenta di averle fatto passare il cattivo umore.

"Comunque mi hanno sempre dato ai nervi gli intellettuali che fanno discorsi fumosi e ci campano su. Sono molto contenta di fare un lavoro pratico, di non farmi pagare per pensare. Tornando a Carla, la sera lui l'invita a cena, bevono, si danno un bacio, finiscono a letto, nella camera di lui, quella che lei pulisce ogni giorno. È descritto bene l'amore: in un certo senso a lei fa orrore il corpo di quell'uomo, non lo conosce, non è neanche un corpo giovane. Ma si accorge che è proprio il senso di disgusto ad attirarla. Mentre fa l'amore le viene in mente il marito, con lui non c'era disgusto, aveva tenerezza delle sue imperfezioni, eppure non sentiva desiderio. Di colpo ha una fantasia: lei è morta come crede la sua famiglia. Quell'uomo sta facendo l'amore con una donna morta. Quella fantasia dà il via ad altre, la fa sprofondare dentro di sé, ancora più lontana da tutto: è stata abbandonata su una spiaggia, nuda, le onde si infrangono sul suo corpo. È dolce la risacca, morbida la sabbia. E poi dal mare è emerso quell'essere arcaico, di un'altra era. Ora lui la annusa, la rivolta da una parte all'altra per vedere cos'è, infila le dita e la lingua dove può. Lei prende gusto alla propria immobilità, allo stupore muto del suo corpo. Anche se è morta, sente le mani di lui, la sua lingua, e ha orrore non dell'uomo ma di sé, immobile, che accetta tutto e non può muoversi. Allora pensa che prima di incontrarla era solo e cieco nel fondo del mare ghiacciato, si aggirava tra pesci indifferenti, sbatteva la testa contro gli scogli, si leccava il sangue che gli colava dalla fronte. Doveva muoversi ininterrottamente per non sentire il gelo degli abissi, le squame non ricoprono più il suo corpo, deve nuotare per non sentirsi solo e disperato. Carla comincia a sentire la temperatura del corpo di lui, è ancora bagnato, ha freddo. Una tenerezza improvvisa la scalda, il fiato esce dai polmoni, la saliva le muove la bocca, le gambe si piegano e abbracciano il corpo dell'uomo, lo stringe a sé con le braccia doloranti, lo bacia. Stupito come un bambino, lui le restituisce il bacio che non conosceva, le entra dentro. Si mischiano per poco, prima che lui si stacchi da lei, si rituffi nel mare ghiacciato da cui proviene. È una bella fantasia sull'amore, non trovi?"

"Sì."

"Carla se ne va il giorno dopo. Non vuole incontrarlo di nuovo. Lui la cerca dappertutto, come hanno fatto il marito e i figli. Credo si sia un po' innamorato di lei, vorrebbe un altro appuntamento, ma Carla ha ripreso il suo viaggio in cerca di un altro albergo. Poi c'è una lunga descrizione dei vari paesaggi che attraversa il treno verso la frontiera con la Francia, i sonni di Carla, i risvegli, i sogni, le stazioni. Molti suoi pensieri sul treno – in treno, è vero, si pensa un sacco – e ricordi, dei bambini, di sé bambina, del marito appena conosciuto. Proprio l'incontro con l'uomo deve aver riportato a galla tante cose dimenticate della sua vita. In fondo in quegli anni le sembra, dice proprio così nel libro, di essere stata come la donna morta sulla spiaggia. Molti si sono avvicinati a lei e l'hanno annusata, ma nessuno è riuscito a scaldarla. Sono arrivata quando scende dal treno, a Nizza. Vuoi continuare a leggere?"

"Emilia, ti devo dire una cosa. Ho fatto un sogno la notte scorsa. Non voglio raccontartelo, non per il momento. In questi giorni, ripensandoci, mi sono resa conto che quasi non ho ricordi di quando ero ragazzina, non mi ricordo niente di preciso. Ora che Daniele vive in America, certe volte ho la strana sensazione che la casa in cui tu e io abbiamo studiato insieme, i miei genitori, non siano mai esistiti."

Emilia smette di lavorare, volta la testa verso la poltrona in cui è seduta Sabina.

"È questo che ti rende nervosa? Vuoi la mia testimonianza? Ti posso assicurare che esistevano tutti e tre, me li ricordo bene."

Sabina gioca con la copertina del libro, guarda il titolo, *Il viaggio di Carla*. Chissà chi l'ha scelto fra tanti, forse l'associazione che si occupa dei problemi dei ciechi.

"Ci siamo conosciute a quattordici anni, che tipo di ragazzina ero?"

Bella, bellissima. Tiravi su il viso dai libri, gettavi indietro i capelli neri legati in una coda, mi guardavi con gli occhi blu sgranati. Chi li ha così belli?

"Intanto eri la più carina della classe, timida, sempre gentile, anche troppo."

"Perché troppo?"

Emilia lascia il telaio, si alza, si siede sul divano di fronte a lei.

"È normale non arrabbiarsi mai, parlare con calma, essere sempre pronta ad aiutare tutti?"

"Pensi che fingessi?"

"No, se no sarebbe stato normale. Tu *volevi* essere così.

Per gli altri era molto gradevole, per me per esempio. Mi sentivo così nervosa in quegli anni, cominciavo ad avere dei disturbi agli occhi, ero grassa, non riuscivo ad avere un ragazzo, a essere notata per qualcosa di speciale. I miei si erano separati e mia madre si dedicava a me come fossi già cieca, lo faceva per ricattare mio padre che aveva un'altra donna, per farlo sentire colpevole. Povera mamma, non dovrei parlarne male. Così incontrarti, la tua amicizia, la tua casa, tuo fratello – com'era bello anche lui – mi hanno dato molta sicurezza. In più ero la tua migliore amica, i ragazzi ti venivano dietro, prendevo importanza pure io. Emilia, la migliore amica di Sabina... Che altro vuoi sapere?"

"I pranzi, per esempio... com'erano i pranzi a casa mia?"

"Non lo so, da dove comincio? Dal cibo. Si mangiava male, tua madre non aveva tempo. Mangiare era un'attività non importante. Faceva la pasta o il riso e poi un po' di formaggio. Tuo padre veniva a tavola per ultimo, mangiava tanto, lentamente, senza parlare. Quando tuo fratello gli chiedeva qualcosa su una versione, un argomento di storia, lo rimandava al pomeriggio. Non voleva essere interrotto mentre pranzava. A me diceva sempre la stessa cosa: 'Emilia, come la via romana, bel nome. Emilia e Sabina, due ragazze romane. Come va il latino?'."

Sabina ride, ora è così nitido il ricordo.

"Sì, ti diceva sempre la stessa cosa, me ne vergognavo, ma non avevo il coraggio di fermarlo, avevo paura che si offendesse. Mi faceva pena, mi sembrava un marziano mio padre, ma non volevo umiliarlo. Cercava di essere gentile, di dire qualcosa."

Emilia sente la voce di Sabina identica a quella della sua amichetta di un tempo.

"Daniele invece non gliene lasciava passare una. Mi ricordo le loro urla dalla tua camera."

"Perché litigavano?"

"Per tutto, credo. Daniele non lo poteva soffrire. Non parlava altro che di scuola, di cultura, di libri. Lui invece aveva voglia di uscire, divertirsi, partire. Tu e tua madre cercavate di evitare la rissa, facevate sempre finta di niente. Poi tua madre entrava in camera di Daniele e diceva: 'Ci ho parlato, puoi uscire'. Tu stavi sdraiata sul letto, fingevi di studiare. In realtà lui si batteva anche per te, qualche anno dopo hai avuto vita facile."

"Solo perché uscivamo con lui, si fidavano di Daniele. Non sapevano che lui ci mollava appena usciti."

"Dio mio, ti ricordi quando ci cambiavamo nelle toilette dei bar prima di andare in discoteca?"

Emilia fruga nella scatola che sua madre riempie di caramelle, prende una liquirizia, la tende a Sabina.

"Sai cosa penso?, che in quegli anni siamo state brave a non finire drogate, con tutti i matti che c'erano in giro. Però quando ballavi ti scatenavi, era la tua trasformazione più incredibile."

Sabina ride di nuovo, scarta la liquirizia, allunga i piedi verso il divano.

"Cioè, come ballavo?"

"Come una pazza. Ti dimenavi, tenevi gli occhi socchiusi, volevi farti guardare dai ragazzi, attirarli nel tuo vortice. Eri così tranquilla normalmente, il ballo faceva venir fuori un'altra donna."

"Che vergogna!"

"Da qualche parte doveva pur esserci una magagna, nessuno è perfetto."

Mangiano caramelle in silenzio, come ai vecchi tempi. Emilia si alza, cerca un compact, ne infila uno. La chiacchierata le ha fatto venire voglia di musica.

"Perché dici 'magagne'?, non c'è niente di male a ballare."

"Figurati, avevi fatto anche danza classica, eri snodata, sentivi il ritmo, ai ragazzi faceva molto effetto. E poi sembrava che non sapessi più dov'eri e con chi stavi ballando. All'improvviso potevi abbracciare chiunque."

La musica le riporta indietro di colpo nella stanza di Sabina, stese sul letto vicine, gli occhi fissi sul manifesto dietro cui è nascosto il pacchetto di sigarette. È un giorno della settimana in cui non c'è speranza di uscire, si può solo dare forma ai sogni con le canzoni.

"C'era qualcosa che non andava in me, Emilia?"

"Anche in me, in tutti. Perché me lo chiedi?"

Sono di nuovo in silenzio e ascoltano la musica. Sabina ha gli occhi pieni di lacrime.

"Vuoi sapere qual è la mia magagna, Sabina? Sono anni che aspetto di dirtela."

Sabina si asciuga gli occhi.

"Avanti."

"Non sono così infelice di essere cieca."

"Sei una santa, allora."

"No, non mi piace avere contatti con la gente, non mi è mai

piaciuto. Non mi annoio con me stessa, sto bene nella mia cuccia, come Sara. E ti voglio bene, più di quanto pensi. Puoi anche non aggiungere niente."

"Perché non dovrei? Non sono sempre gentile, sai, solo che quasi niente mi fa veramente rabbia. Forse non sono molto ambiziosa, infatti ho scelto il mestiere sbagliato. Sono una donna modesta, mi accontento di poco, di trovare Franco quando torno a casa, di leggerti *Il viaggio di Carla* e di prendere il tè insieme. Ma non potrei mai vivere in una cuccia, ho bisogno d'aria. Mio padre e mia madre vivevano in una cuccia, con i loro libri, le lezioni, la scuola, nessuna corrente dall'esterno, si soffocava. Quando ho deciso di fare l'attrice e sono andata a vivere da sola, mia madre mi ha aiutato, mio padre mi ha fatto la guerra. Poi mia madre è morta e l'ho messo a tacere, la prima e l'ultima volta, non mi faceva più pena. Mi faceva pena lei che era morta e aveva corso tutta la vita. Se i film fossero più belli, farei volentieri anche il mio lavoro di doppiatrice. Non so perché sono così accondiscendente, tutti sono sempre arrabbiati e isterici, pieni di ambizioni deluse, forse è la mia magagna, forse è una debolezza. Forse sono fuori dall'economia, non mi interessa andare sempre avanti. Non me ne vergogno. Mi vergogno di altre cose. Per esempio di aver fatto l'amore con il direttore del doppiaggio, solo perché mi faceva la corte insistentemente e avevo paura che non mi chiamasse più."

"Con quel viscido mostro peloso?"

Sabina ora piange.

"Sì."

Emilia si alza, si avvicina alla poltrona, si siede sul bracciolo.

"Perché piangi così? Che te ne frega, è roba passata!"

"Tutto è roba passata, ma quanto passata? I morti, dopo quanto tempo parlano?"

"Cosa vuoi dire?"

Sabina piange sul grembo di Emilia, lei le accarezza la testa. Non può sentirla piangere così.

"Non vuoi raccontarmi il sogno?"

Sabina scuote la testa, fra le lacrime balbetta in modo incomprensibile:

"Un'altra volta".

# 14.

Attraversano il Parco dei Daini, lo spiazzo riscaldato dal sole dove i bambini giocano nella ghiaia. Ragazze di ogni parte del mondo li sorvegliano e usano l'italiano come lingua comune. Franco guarda i bambini che si contendono palette e secchielli. Uno piange a dirotto in un angolo. Come in una bettola la rissa è sempre pronta a scoppiare – *questo è mio!* –, e giù calci e schiaffi. All'inizio siamo tutti così, pensa Franco.

Sabina cerca di non guardarli, dev'essere dura, non vuole dirgli ancora niente del bambino che ha scoperto di aspettare. È successo la sera del sogno, ne è certa. E ora l'incubo sul padre e il bambino sono legati in modo misterioso, indecifrabile. Per questo ha deciso di non dirgli ancora niente e gli ha dato appuntamento a pranzo per comunicargli un'altra decisione.

Da quando ha cominciato a lavorare nella serie, Franco è tranquillo. Si alza la mattina presto, prepara il caffè per tutti e due, si lava con la radio accesa, la bacia prima di uscire. Sabina ha pensato a una donna incontrata sul set, si fida di lui, ma nel loro mestiere è facile che succeda. Ogni giorno insieme, è un lavoro che dà diverse scariche di energia erotica, anche quando non ci sono da girare scene d'amore. Tutti in definitiva si innamorano un po' sul set, poi si lasciano e non si rivedono più. Ma forse è piuttosto una tranquillità misteriosamente raggiunta, ora che lei si sente instabile come un sughero gettato in mare.

"Andiamo verso il Pincio, ti va?"

"Sì. È da un po' che non corri."

Se n'è accorto in quel momento.

"È da un mese che non corro più. Non mi va l'idea di uscire presto, con il freddo, morire di fatica. Ricomincerò in primavera."

Superano il cancello del parco. Un caldarrostaio ha sistemato il banchetto all'inizio del viale che porta allo zoo. Sabina si ferma a comprarne un cartoccio.

"Dopo andiamo a mangiare," la rassicura lui.

"Non ho molta fame."

La guarda mentre sbuccia la prima caldarrosta e gliela tende. Riprendono a camminare in direzione del Pincio.

"C'è qualcosa che non va, Sabina?"

"Me l'ha chiesto anche Emilia, e oggi pure Maria, l'assistente al doppiaggio con cui ho fatto amicizia."

"Allora sarà vero."

"Sarà che siete abituati a vedermi sempre tranquilla e contenta. Succede a tutti di essere nervosi."

"Lo dici a me."

Sabina gli tende un'altra caldarrosta.

"Tu invece sei soddisfatto, ti piace questo nuovo lavoro?"

Franco ride.

"È un lavoro da pazzi, però mi diverte, mi sembra di riposare la testa. Vado lì, dico quelle stronzate, il regista è sempre contento: mi ha già riconfermato per la prossima serie, dice che aggiungo un tocco di classicismo. I colleghi sono simpatici, è un po' come lavorare in un ufficio accogliente. Ho capito che non pensare troppo a quello che si fa è meglio."

"Emilia sarebbe d'accordo con te. D'altronde oggi è di moda non pensare troppo, vivere giorno per giorno."

"È quello che tu dicevi a me."

Sabina gli porge nervosamente il cartoccio.

"Facevi un dramma per ogni cosa, ti compativi come fossi l'unica vittima della società... cercavo di tirarti su il morale."

"Me lo sono tirato su da solo, ma tu non ne sei contenta. Cosa c'è che non va tra di noi, Sabina?"

Lei si ferma, lo guarda spaventata. Forse è vera la storia della donna incontrata sul set, con il suo cattivo umore gli sta dando un alibi. Riprende a camminare.

"Tra di noi? Mi pare niente, non so per te. Io pensavo fosse una cosa solo mia. Da un po' di tempo mi sento nervosa, tutto qui, mi viene da piangere senza ragione. Forse sono stata troppo paziente, in fondo ognuno ha le sue magagne, inutile nasconderle."

"Che cosa dovresti nascondere?"

Sabina si ferma di nuovo senza guardarlo.

"Intendevo dire far finta che vada tutto bene, anche il lavoro che faccio, quando invece sono delusa di non essere riuscita a diventare un'attrice, trovo deprimente doppiare quei telefilm insensati, terribile l'atmosfera che si respira in Italia in questi anni. Ho semplicemente confessato a me stessa la verità per la prima volta. D'altronde, anche quando ero bambina, era sempre Daniele che discuteva, io preferivo non vedere."

Franco si allontana, getta il cartoccio in un cestino. Si avvicina di nuovo accendendosi una sigaretta.

"Camminiamo, fa freddo."

A Franco ora sembra di recitare in un film, tanto è simmetrica e ben costruita la situazione fra loro. Si è rovesciata all'improvviso, al momento giusto.

Sabina sente un crampo allo stomaco, per un attimo pensa a una nausea da gravidanza, ma è già successo altre volte: è la paura di quello che lui dirà.

"Non facciamo l'amore da un po'. Non mi dire che non è una cosa significativa. Succede a tutti, lo so, ma fra noi, non so se tu sei d'accordo, tante cose sono cominciate su quel terreno, è difficile farne a meno e riuscire a capirsi lo stesso."

Sabina spinge con forza i piedi sulla strada, cammina più veloce, vorrebbe lasciarlo lì, con le sue idee sul linguaggio superiore del sesso.

"Non puoi neanche immaginare che io abbia un problema, io da sola, senza di te! Lo sai perché? Perché non te la figuri neanche la mia vita senza di te. Comincio a esistere quando ci incontriamo."

"Può darsi che io sia egocentrico e insensibile, ma non hai risposto alla mia domanda."

"Quale terreno? Intendi fare l'amore? Sì, l'abbiamo fatto bene, ci siamo piaciuti, ma cosa significa? Cosa è cominciato lì? Parole! Un uomo e una donna si attirano e basta, non vuol dire niente, tranne il fatto che lo faranno di nuovo finché gli piacerà. Cosa può voler dire un uomo maturo a una ragazza che ha l'età di sua figlia scopandosela? Niente, ha solo voglia di scoparla, punto e basta. Quanto alle ragioni, io non le so!"

Sabina si allontana da lui. Franco si è bloccato in mezzo alla strada che costeggia piazza di Siena.

"Cosa stai dicendo?"

Sabina si siede su una panchina, le battono i denti, si stringe nel cappotto, mormora:

"Succede qualcosa quando due fanno l'amore, oltre quello che stanno facendo? So che tu credi di sì, hai un'idea molto romantica del sesso. Io invece penso che sia molto più interessante ciò che si scambiano dopo, o prima".

Franco è in piedi davanti a lei, la vede tremare ma non ha voglia di scaldarla.

"Sì, ho un'idea intensa del sesso, forse anche romantica. Quando lo facciamo mi sembra che siamo molto vicini, che capisco tante cose di te che tu non dici, ma forse mi sbaglio."

"Forse sì, non può essere tanto speciale una cosa che fanno tutti, anche le bestie, quelle umane dico."

Franco si siede accanto a lei, la guarda, tira fuori il pacchetto di sigarette, ne accende un'altra. Sabina tiene gli occhi bassi, sulla ghiaia.

"Guarda quante cicche. Si compra un pacchetto nuovo, si toglie la carta trasparente, se ne prende una, si accende, qualche minuto di respirazione intensa, e la si getta a terra, lì con tutte le altre. Non te l'ho mai detto, ma ho smesso di fumare pensando che me l'ero già fumata, che era spiaccicata al suolo in mezzo alle altre."

"Che cosa dovevi dirmi?"

"A Natale vado a trovare mio fratello a Washington: non conosco i suoi bambini, la moglie l'ho vista solo quando è morto mio padre. Ho voglia di fare un Natale in famiglia: non so se sia la mia, vado a vedere. Non ti dico di venire con me perché hai la serie."

Franco pensa che si lasceranno. Lei ha già cominciato a lasciarlo con quel viaggio, per ragioni misteriose che non vuole dire, preferisce non saperle. Non crede alle spiegazioni. Getta la sigaretta appena iniziata in mezzo agli altri cadaveri. Si volta verso di lei e l'abbraccia, la stringe solo per scaldarla. Fra le sue braccia Sabina trema ancora più forte, poi sente un calore nascerle dentro. Le viene in mente il corpo della morta sulla spiaggia, rianimato dalla tenerezza per l'uomo del mare. Lo abbraccia, il tremore si calma, appoggia il viso sulla spalla di lui.

"Sono contento che tu vada da tuo fratello, e mi dispiace non venire con te. Ma penso che ti farà bene stare un po' da sola."

"Hai incontrato una donna che ti piace sul set?"

Il corpo gracile di Anita nel letto dell'ospedale gli passa davanti agli occhi. Anita fa la morta, Sabina ha appena doppiato una donna stuprata e assassinata. Strane coincidenze. Franco passa la mano sui capelli corti di Sabina, con quei capelli ha la testa piccola di una bambina.

"Chi vuol partire, io o tu?"

# SUGHERI

# 1.

Avrei dovuto sapere che sarebbe accaduto. Non si può costruire una vita aspettando l'arrivo di qualcuno. Penelope non poteva fare altro, il figlio la osservava tutto il giorno, i proci la guardavano a vista. Anch'io non posso fare altro, sono cieca e innamorata. Mi piacciono le donne, ma non ho mai avuto una vera relazione. Non si possono considerare storie i baci con la ragazza tedesca nel college in Inghilterra, l'amore con la cameriera svedese nel mio unico viaggio senza Sabina. In realtà forse non mi piacciono le donne, mi piace lei perché la conosco bene e l'ho vista prima di chiudere gli occhi per sempre. Non sono ancora morta, anche se oggi mi ci sento. Non potrò amare nessun'altra donna.

È in aereo adesso. Come un filo teso fra noi le ho dato il libro, a me non serve, ho la registrazione. Sarà come leggerlo insieme. Non lo leggerà, lo faceva solo per me, forse se l'è dimenticato qui. Che interesse può avere a leggerlo? Le succederanno tante cose in America, il fratello, i nipoti, gli amici. Sarà quello il viaggio interessante, non quello di Carla che la riporta qui, dentro la mia cuccia. Forse non tornerà più. La sola idea mi fa pensare alla canna del gas. Non fremere, non ho detto che voglio farlo, dicevo tanto per dire. Vieni qui, Sara! Che bel pelo ha questa cagnetta, la nonna la tiene pulita ed è calda calda. A Natale andiamo dalla nonna, che le fa piacere.

Mi ha portato al mare prima di partire, a Maccarese, dove andavamo a prendere il sole. Ha voluto descrivermi la giornata, anche se la vedevo perfettamente. Il vento gonfio di pioggia e il mare grigio che si confonde con il cielo all'orizzonte. La sabbia sporca perché fuori stagione nessuno la pulisce. C'erano pezzi di tutto portati dalla risacca. Sabina ha raccolto una scarpa da ginnastica, dei proiettili da caccia, quaranta cicche (poi ha smesso di raccoglierle), una fasciatura, un pettine, un assorbente (lo ha tirato su con un legnetto). Abbiamo parlato del suo viaggio.

Al telefono Daniele era stupito della sua decisione di passare il Natale insieme, ma ha poi finto – così mi ha detto lei – di esserne molto felice. Non penso sia così. Daniele ha un carattere strano, vuole apparire distratto, sempre indaffarato, in realtà è chiuso come Sabina, come tutti i membri di quella famiglia. Hanno paura dei loro sentimenti. Gliel'ho detto e lei si è rasserenata. Perché ha deciso di andare adesso? Natale? Il richiamo di una famiglia che non ha più? Il sogno? Non ha voluto raccontarmelo. Ho cercato di dirle che un sogno è un sogno e qualsiasi cosa succeda mentre si dorme non bisogna vergognarsene. Mi ha risposto che qualche volta un sogno può essere più vivido della realtà. Abbiamo smesso di parlare, faceva freddo e avevamo fame. Ma il ricordo del sogno le ha guastato l'umore, è diventata nervosa, dev'essere qualcosa che la fa sentire colpevole o incapace. Il nervosismo spesso viene da un senso di scontentezza di sé. Mi ha riaccompagnato a casa, ci siamo abbracciate, tornerà a gennaio. Mi ha raccomandato di uscire qualche volta con mia madre, di non stare chiusa qua dentro tutto il tempo.

Ogni tanto, Sara, penso a come sarebbe bello se vivesse con noi. Non la vorrei come amante, a lei non piacciono le donne, ma come amica. Credo che saprei renderla molto felice. Intanto cucino bene, le preparerei delle cene raffinate, metterei nei suoi cassetti dei sacchetti di lavanda, lei in questo genere di cose non è molto brava. Quando torna le farei raccontare la sua giornata, l'ascolterei con pazienza senza farle troppe domande. Il silenzio va rispettato, è così difficile trovare qualcuno con cui si possa anche tacere. Io la conosco meglio di chiunque, so molto di lei. E infatti a chi ha chiesto i suoi ricordi di quando era ragazzina? Ma averla sempre qui e non poterla toccare sarebbe un supplizio. La sua assenza alimenta le mie giornate, la sua presenza le renderebbe impossibili. Come finirà questa storia? In qualche modo dovrà finire perché non può occuparmi tutta l'esistenza. Anche una cieca deve fare altro e i tappeti non bastano. Ci sarà un momento in cui finirà da sola, ma non per causa mia, perché chi ama non può mettere la parola fine se non in modo tragico. Non ti agitare, Sara, non lo farò, amo la vita anche da cieca.

Ha promesso che mi telefonerà. Non ci credo tanto, telefonerà prima a Franco. Dio mio, come riuscirò a staccare il pensiero da lei? Sono condannata, sono cieca, ma non voglio affrontare la mia vita da cieca. Ho sempre fatto finta di continuare a vederci. Qui io ci vedo, vedo Sara, mia madre, Sabina, gli oggetti della casa. Non sono stata sempre cieca, voglio conoscere ciò che mi circonda, non posso avere intorno facce nuove. Mi piacciono le donne belle, come faccio a sapere se lo sono veramente? In fondo diventare cieca è più tragico che nascerci, anche se ho sempre pensato il contrario. Ora che lei è partita, capisco che la mia condizione è di perenne malinconia per qualcosa che non c'è più, un mondo che conoscevo bene e amavo è scomparso, posso solo immaginarlo, tenermi stretti i ricordi che mi ha lasciato.

Forse con queste visioni nella testa scrivono gli scrittori, dipingono i pittori posti che hanno visto. Peccato non essere un'artista, la mia creatività non va più in là dei tappeti. Ci sono dei colori che ricordo così bene, il tramonto di primavera a Roma davanti al Pincio, le facciate rosse e rosa di piazza San Salvatore in Lauro, i grigi e i bianchi di piazza Farnese. Dovrei scrivere una guida turistica, la città che ho nella mente convincerebbe chiunque a venire, i miei occhi interiori la vedono precisa, ripulita del rumore, vi si muovono esseri silenziosi come in un film muto o in un quadro. Guardavo così Sabina ogni volta che veniva. La sua voce, una battuta, un sospiro si trasformavano per me in un gesto silenzioso, in un'espressione del viso. Lei con il suo lavoro dà voce a dei volti, io do un volto a una sola voce, sempre nella stessa storia, la nostra amicizia, in un solo posto, questa casa. Un film un po' noioso. Ora si è interrotto, non ho nessun punto di riferimento reale per vederla, sarà pura assenza, vuoto, buio.

Il campanello. Chi può essere? Stai buona, Sara, smettila di abbaiare! Chi può essere?, mia madre è già passata. Vorrei tanto non fosse solo il portiere, oggi veramente vorrei una visita.

"Zitta, Sara, piantala! Chi è?"

"Mi scusi, sono un'amica di Sabina, devo consegnarle una cosa da parte sua. Non apra però, gliela lascio davanti alla porta, ho paura dei cani!"

"È solo un bassotto!"

# 2.

"A me piacciono i neonati, gli animali invece mi fanno impressione. Si strusciano, ti leccano... e poi in fondo che ne sappiamo di loro? Solo teorie suggestive: pensano, non pensano, capiscono, chissà. Un neonato è abbastanza simile a un cucciolo d'animale, ma nello sguardo c'è già un programma superiore. Non dico che poi venga realizzato. Posso fumare?"

"Odio il fumo."

"Allora sarò costretta ad andarmene subito dopo aver bevuto il tè, non resisto senza fumare."

Emilia apre la finestra della cucina.

"Fumi, se le va."

"Grazie."

"Mia madre ha fatto una torta di mele, ne vuole una fetta insieme al tè?"

"Che meraviglia!"

Emilia cerca il tè al pistacchio che a Sabina non è piaciuto, e si chiede come le sia venuto in mente di dare il suo indirizzo a quella donna. Toglie la retina che copre la torta, ne taglia due fette, le mette sui piatti. Il palmo della mano era grinzoso, non dev'essere giovane, anche se fuori fa freddo e la pelle si secca facilmente.

"I suoi gesti sono perfetti, senza un'esitazione, sembra che riesca a vedere tutto, come in quel film... era uno dei miei preferiti quando ero ragazzina, *Gli occhi della notte*, ha presente? Audrey Hepburn cieca, il marito è fuori, lei chiusa nella sua casetta e quei tre che la vogliono ammazzare."

"Sì, ho presente, per questo non apro volentieri la porta quando non so chi ci sia dall'altra parte."

"Be', l'avevo detto a Sabina che non mi andava tanto di venire senza prima telefonarle, ma lei ha insistito: non devi chiamarla, mi ha risposto, se no troverà una scusa per non farti andare. Non apre il pacchetto?"

Emilia versa l'acqua bollente nella teiera. Se le arrivasse addosso una gocciolina, solo una gocciolina, smetterebbe di parlare, ma *i suoi gesti sono perfetti*!

"Lo aprirò dopo. Così lavorate insieme al doppiaggio?"

"Non sempre. Quando il direttore le dà un ruolo, il che avviene spesso. Io invece sono fissa, purtroppo."

"Quanto zucchero?"

"Due. Prima ero anch'io doppiatrice, e aspirante attrice ancora prima, si perde nella notte. Avevo una bella voce, ora con le sigarette sembro un trombone sfiatato, soprattutto la mattina. Comunque ho messo da parte ogni velleità quando mi sono sposata ed è nata mia figlia. Ora è grande, studia a Parigi."

Emilia si siede nel posto sbagliato. Quella donna ha preso la sua sedia e ora le tocca stare accanto alla finestra. A Sabina piaceva guardare dalla finestra, invece a quella donna, Maria si chiama, piace soprattutto parlare.

"Lei vive sola?"

"Sì, da quando mia figlia si è trasferita a Parigi."

Ecco perché parla tanto.

"E da ciechi come ci si trova a vivere soli?"

Emilia pensa che fra poco se ne andrà e trova la pazienza di rispondere.

"Vivo con il cane, e poi sono abituata."

"Se fossi cieca non vivrei da sola. Primo, ti può sempre succedere un incidente."

"Tipo *Occhi della notte*."

"Esatto. E poi un cieco è già così solo e al buio, come un bambino prima di addormentarsi, ha bisogno di qualcuno che gli parli. Sabina mi ha detto che lei ha perso la vista."

"Cos'altro le ha detto di me?"

"Nulla."

Mente.

"Non mi ha detto che aveva un cane, se no sarei stata preparata."

Ride e tossisce. Il fumo è insopportabile. La cucina è gelata, e quell'odore non se ne andrà mai più.

"Possiamo chiudere la finestra?, mi verrà una bronchite."

Emilia la chiude.

"Certo che le verrà, o anche un tumore se continua a fumare. Finché la finestra è chiusa però non si fuma."

"È difficile mandare a quel paese un cieco."

"Gliel'ha detto Sabina?"

"No, lo penso io. Lei mi ha solo detto di venire qui, portarle il pacchetto e vedere se legavamo: anch'io in fondo leggo bene e mi fa piacere guadagnare qualcosa, però potrei venire solo la sera. E non tutte le sere."

Emilia si sente impazzire di rabbia, prova un odio terribile per Sabina.

"Le ha dato anche dei soldi?"

"Non tanti, ma a Natale fanno comodo."

Emilia afferra il pacchetto, lo apre strappando la carta. Il libro, il loro libro. E un biglietto.

"Vuole che le legga il biglietto?"

"No, non parli, non dica niente."

Maria beve l'ultimo sorso di tè in silenzio, si alza.

"Senta, le lascio il mio numero di telefono qui sul tavolo, potrà chiedere a sua madre di leggerglielo. Se vuole chiamarmi, sono disponibile. Grazie di tutto, il pistacchio è il mio gusto favorito di gelato, non l'avevo mai assaggiato mischiato al tè. Buona anche la torta, arrivederci."

La porta di casa sbatte, Sara torna nella sua cuccia rassicurata. Le pare di essere in un buio più pesto di prima, un dolore le stringe il petto, la parola *Fine* sullo schermo nero.

# 3.

Non pensava che staccarsi da terra potesse darle tanta felicità, una sensazione di leggerezza simile a quella della corsa. Le ali sbattono, l'aereo danza come su un mare mosso. Sono sull'oceano e se chiude gli occhi le pare che lo stiano attraversando in mare, in piena burrasca. Sabina non ha paura, il suo vicino invece stringe i braccioli della poltrona, ha gli occhi chiusi, il viso pallido. Qualcuno vomita, le hostess corrono a recapitare tardivi sacchetti di carta. Sabina gode del trambusto, le piace essere in balìa del destino in quel momento della sua vita. Se l'aereo precipitasse, Franco non saprebbe mai del bambino, nessuno lo piangerebbe. Quell'idea le produce una tenerezza improvvisa per il girino annidato nel suo ventre di cui nessuno sa l'esistenza. Il suo vicino piange, è impressionante veder piangere un uomo di quell'età.

"Non si preoccupi, questi aerei sono solidi," gli dice.

Lui apre gli occhi, la guarda un istante, prima che uno scossone violento lo faccia accasciare sul sedile di fronte, la testa fra le mani. Sabina gli mette una mano sulla spalla.

"Provi a distrarsi. Mi racconti qualcosa: perché sta andando in America?"

L'uomo ce la mette tutta, articola fra le lacrime come comunicasse un lutto:

"Affari, e lei?".

"A trovare mio fratello. Non lo vedo da cinque anni, passiamo il Natale insieme. Ha due figli piccoli."

L'aereo sembra disintegrarsi, come se un gigante l'avesse acchiappato per la coda e ci stesse giocando. L'uomo crolla di nuovo.

"Senta, cerchi di non pensarci, tanto che cambia? Mi ascolti, le parlo io così la distraggo. Mio fratello insegna letteratura greca all'università. Pensi al viaggio di Ulisse, a quante ne ha passate. In fondo per noi è nulla. Ce ne stiamo seduti qui e aspettiamo che si calmi la burrasca, senza fare niente. Non dobbiamo né tirare giù le vele, né legarci alla barca, non annaspiamo nell'acqua che ci sbatte addosso."

L'uomo comincia a seguirla. Sabina si sente soddisfatta.

"Sarebbe meglio se avessimo qualcosa da fare," mormora.

"Certo, per questo le dico di parlare, così facciamo qualcosa. E per quanto riguarda i salti, immagini di stare al luna park. È un gioco collaudato, l'incidente un'eccezione statisticamente irrilevante. Con il suo mestiere lei sarà esperto di statistiche."

L'uomo annuisce, si asciuga gli occhi con un fazzoletto.

"Mi vergogno, mi scusi, alla mia età..."

"Si figuri, io ho paura di talmente tante cose."

"Per esempio?"

Sabina ci pensa su.

"Paure più legate alla vita di tutti i giorni. Prendono forme diverse, di non trovare lavoro, di essere lasciata. Paura della solitudine, di restare senza affetti... forse per questo vado a trovare mio fratello, anche se lui non me l'ha chiesto. Capisce cosa voglio dire?"

L'uomo la guarda molto interessato. Il rollio dell'aereo si sta affievolendo, la burrasca si allontana. Sabina vorrebbe tornare al silenzio, dormire prima dell'arrivo.

"Lei è una bella donna, è giovane... perché ha tutte queste paure?"

"E lei perché ha paura dell'aereo quando sa quasi matematicamente che non può cadere?"

"Per quel 'quasi'."

"Anche la bellezza e la gioventù non sono certezze, non durano in eterno."

"Vuole bere qualcosa, una birra, un bicchiere di champagne?"

"Sì, beviamo un bicchiere di champagne, siamo vicini alla fine dell'anno in fondo."

Con sicurezza e galanteria ordina la mezza bottiglia alla hostess stremata dai soccorsi, le versa lo champagne nel bicchiere di plastica. Prima di bere, brindano sorridendo, si scambiano gli auguri.

"Ha visto che l'aereo non è caduto dopotutto."

"Non siamo ancora arrivati. Ma mi dica di lei, delle sue paure, mi interessa molto."

"Be', prima che mi succedesse una certa cosa non sapevo di averle, credevo di essere una donna normale, un'attrice senza lavoro costretta a fare del doppiaggio per guadagnare."

"Lei è attrice?"

"Sì, cioè no, una vera attrice non ha bisogno di presentarsi. Diciamo un'aspirante attrice, come ce ne sono molte. Ora neanche tanto aspirante. Lei per caso è un produttore?"

"Purtroppo no, produco scarpe non film."

"Sono felice per lei. Insomma, a un certo punto mi sono sentita piena di paure e ho capito di averle sempre avute, solo che cercavo di evitare di pensarci."

"Come tentava di farmi fare un momento fa."

Sabina sorride. Lui le riempie il bicchiere.

"Esattamente."

"Non c'è niente di male a distrarsi, perché si deve sempre andare al fondo di tutto? È una malattia di oggi, prima si pensava meno e si agiva di più. Abbiamo così poco tempo e così tanto da fare."

A Sabina quel produttore di scarpe sembra di colpo un genio.

"Infatti io prima ero quasi felice, ma poi ho fatto un sogno, un incubo, molto reale però, e all'improvviso tutto si è rovesciato."

L'uomo beve e riflette, tira fuori di nuovo il fazzoletto, si asciuga la bocca.

"Ho una figlia, forse un po' più giovane di lei. Ne ho quattro in tutto, tre maschi e una femmina. Io e mia moglie ci siamo incontrati che non avevamo vent'anni."

"Complimenti."

"Sì, una bella famiglia. Sarà mia figlia a prendere il mio posto, nessuno dei tre maschi è interessato alla mia attività. Hanno voluto studiare altro e se ne andranno. Non mi fraintenda, sono contento. Mia figlia è un vero imprenditore, però ha paura di lanciarsi, preferisce lavorare accanto a me. Ho pensato che dovrò parlarle prima o poi, cercare di capire. È così intraprendente, intelligente, piena d'idee... ma c'è qualcosa che la tira indietro. Mi ci ha fatto pensare quando mi ha raccontato delle sue paure. Forse non c'entra niente, non sono molto abituato a parlare di queste cose, in genere è mia moglie che lo fa con loro."

"Qualcosa mi tira indietro, ha ragione. Non so cosa, devo capirlo. Questo viaggio forse mi aiuterà."

"Glielo auguro veramente. Mi ha salvato dal terrore, vorrei fare la stessa cosa per lei. Le auguro di guardare le sue verità in faccia, se è ciò che vuole, o di lasciarle lì dove sono e darsi da fare."

Sabina infila il bicchiere nella tasca del sedile, chiude gli occhi. Lo champagne la farà dormire fino all'arrivo, ci vuole così poco per stare bene.

# 4.

Franco ha deciso di passare da solo la prima sera da scapolo. Non vuole telefonare agli amici, né andare al cinema. Si prepara da mangiare e non gli sembra ancora che lei sia partita. In genere è lui a rientrare per primo, si leva le scarpe, inizia a preparare la cena, mette un po' di musica. Questa sera compie le stesse azioni, apre il frigorifero, decide di farsi una frittata con gli avanzi delle fettuccine della sera prima. Franco si chiede se quella di ieri sia stata solo l'ultima sera prima del viaggio, o l'ultima insieme. Non ha elementi per dirlo, solo una sensazione. Rientrando dal lavoro ha visto le valigie pronte nell'ingresso e ha di nuovo pensato che lei lo stesse lasciando. Sabina gli aveva urlato dalla cucina:

"Stasera cucino io!".

Franco era andato in camera da letto, aveva lasciato le scarpe al posto in cui sono ora.

Rompe le uova, le sbatte, mischia le fettuccine, il parmigiano. Ieri sera anche lei girava il sugo davanti al fornello, nello stesso punto in cui lui è ora. Entrando in cucina, Franco le ha dato un bacio casto, prima sul collo e poi, quando lei si è girata, sulla bocca. E Sabina inaspettatamente ha aperto la sua, dopo settimane in cui evitava di farlo. Franco ha subito pensato – poi se n'è pentito – che quella sera, l'ultima, avrebbero finalmente fatto l'amore. Un ricordo da resuscitare nei giorni in cui si sarebbe ritrovato da solo, con un'intensa voglia di scopare. Si era pentito di averci pensato in quei termini, e comunque poi la cosa non era andata.

Questa sera Franco comincia a rivalutare le idee sul sesso

dei suoi compagni di scuola. Non gli è mai capitato di stare un mese senza fare l'amore, dividendo ogni sera il letto con una donna di cui è innamorato. Pensava fosse facile, ha sempre evitato di considerare il sesso come un bisogno fisiologico. Per i suoi amici era evidente che lo fosse, per lui no. Gli tornano in mente le discussioni con Sabina sull'argomento, quella del parco e quella dell'ultima sera che hanno passato insieme. Lo ha trattato in due modi opposti: al parco come un romantico che crede che il sesso sia la manifestazione più importante dell'amore; come un cinico scopatore la sera prima, quando aveva cercato di mettere fine ai discorsi baciandola sul divano e infilandole una mano sotto il pullover. Quale dei due personaggi è Franco? Getta le fettuccine nell'olio bollente, stacca l'impasto dai bordi della padella in modo che non si bruci. Si ricorda a un tratto di un'autobiografia di Roman Polanski. Polanski parlava con molta sincerità del suo rapporto con il sesso. Aveva una bella moglie, aspettava un bambino, eppure quando lei era fuori città non poteva stare solo neanche una sera, doveva cercarsi una donna. Franco aveva pensato che fosse una malattia terribile e allo stesso tempo che, ammettendola, Polanski dimostrasse la sua genialità.

Gira la frittata con il piatto che ha preparato accanto al fornello. Mentre finisce di cuocere sistema sul carrello due piatti, due bicchieri, alla seconda forchetta si accorge dell'errore, rimette tutto a posto, decide di mangiare la frittata lì in cucina, direttamente dalla padella. Poi pensa che è l'inizio dell'imbarbarimento da uomo solo. Apparecchierà per uno. Va nel soggiorno, mette un po' di musica, lo stesso compact di ieri sera, gli studi di Chopin. Per loro vogliono dire molto, o almeno lui lo pensava fino a ieri. Avevano bevuto, appena finito di mangiare, Franco aveva pensato che fosse il momento giusto per mettere gli studi. Ma la musica l'aveva irrigidita, aveva fatto partire una lunga discussione su di lui, sul fatto che voleva fare l'amore perché era l'ultima sera, il progetto era noioso e troppo evidente, mentre lei avrebbe voluto lasciar andare la serata da sola, senza programmare niente, magari stando seduti in silenzio, tenendosi per mano, ascoltando la musica come una reminiscenza che non andava toccata.

Com'era cambiata, e come aveva fatto lui a non accorgersi di quel cambiamento? Non era mai stata prolissa, ma silenziosa, ironica, misteriosa a volte. Non aveva mai fatto discussioni di quel genere, non le interessava capire tutto, ma vivere con leggerezza le situazioni che capitavano. Era sempre lui a discutere su qualsiasi cosa, a lamentarsi dei suoi silenzi, del buonumore con cui si svegliava al mattino, come se la luce del sole illuminasse ogni giorno anche lei. Forse nelle coppie ci si passa le reciproche malattie, l'influenza, il pessimismo, la gioia, anche le storie personali. Non aveva capito nulla, l'aveva lasciata partire senza chiederle, come avesse paura di sapere. Ora pensa come lei che avrebbero dovuto parlare fino all'alba. Ingenuo il suo desiderio di fare l'amore prima della partenza, come fosse un atto che avrebbe messo a posto ogni cosa, mentre era solo lo sfogo di un uomo impaurito dalla solitudine e dalla fedeltà che l'assenza gli avrebbe richiesto. Come Polanski.

Franco si siede sul divano, non ha più fame, riascolta gli studi e si commuove. Così languida e struggente quella musica, pensa agli occhi blu scuro di Sabina, allargati, schiariti mentre fanno l'amore, alla sensazione intima, familiare, del suo corpo visto così da vicino. I gesti di lei sono infantili, scrupolosi, senza enfasi, come gli dicessero: "Ti faccio queste cose, tocco qui e bacio questo pezzetto di pelle perché il tuo corpo mi è familiare, lo conosco, è un gioco che facciamo da tanto tempo, ti ricordi?". Chi può dire che questa non sia una conoscenza, forse la più profonda di tutte! Un bisogno fisiologico, che bestialità! Dipende, certo può anche esserlo, ma che interesse può avere? Franco si allunga sul divano, chiude gli occhi. La musica, il ricordo, i loro odori mischiati sul divano su cui hanno fatto tante volte l'amore, gli stanno provocando un'erezione, quella di ieri sera a cui lei non ha risposto. Immagina di spogliarla e di farsi spogliare da lei. Pensa ai capezzoli rosa da ragazza che prenderà in bocca, isolandoli dal seno, come fossero spine elettriche caricate dalla sua lingua. Lei farà la stessa cosa con i suoi scuri, circondati da corti ciuffi di peli biondi. Si scambieranno quei gesti, combattendo il desiderio che vorrebbe esplodere subito, senza regole, e non riconosce la superiorità delle loro menti. Dovranno cedergli, ma non ora, non vogliono esserne delusi.

Franco apre gli occhi, si mette seduto, si alza, ferma la musica. Con la testa che gli gira va in cucina, prende una sigaretta, l'accende alla fiamma del gas. Tira una boccata sperando che il fumo lo liberi dai palpiti grotteschi in mezzo alle gambe. Gli pare una protesi impazzita del suo corpo. Vorrebbe mangiare la frittata di pasta, bere un bicchiere di vino, guardare la televisione e andare a letto senza pensarci.

Invece di colpo pensa ad Anita, a come l'ha vista la prima volta, mentre fumava stringendosi la vestaglia al petto con le mani truccate di bianco, a come gli ha sorriso con il viso da morta. Si è accorto che Anita lo guarda piena di ammirazione per il suo talento, per il modo rispettoso con cui il regista gli si rivolge, per gli scherzi sulla tragedia greca che fanno insieme ad alta voce. Dopo il lavoro si salutano da colleghi, baciandosi sulle guance. La crema che Anita mette sul viso dopo essersi struccata profuma di mughetto, gli ricorda la bambina che teneva sulle ginocchia all'inizio di *Doppio sogno*, "Buonanotte mamma, buonanotte papà!".

Franco si siede al tavolo della cucina, spegne la sigaretta in un piattino. Appoggiata alla zuccheriera, proprio lì accanto, vede una busta con il suo nome. *Per Franco.* Non l'aveva vista, chissà perché Sabina l'ha lasciata in cucina e non nell'ingresso. Franco la apre e di nuovo pensa, come per le valigie, che siano parole d'addio.

*Amore, solo due righe prima di andarmene. Sono diventata così noiosa quest'ultimo mese, anche ieri sera non ti ho dato tregua. Ora mi dispiace non aver fatto l'amore, ne avevo voglia ma contemporaneamente sentivo il desiderio di negarlo a te e a me, come dovessimo scontare una colpa o come fosse una via troppo semplice. Tutto mi appare confuso in questi ultimi tempi. Lo sai, non amo molto le parole, non sono neanche brava a spiegarmi. Così quello che mi capita non trova sfogo e fermenta nel silenzio. Stai tranquillo, non mi sono innamorata di un altro, e spero non succeda a te durante la mia assenza. Di colpo mi è nata dentro una sfiducia terribile negli esseri umani. Le parole d'affetto mi sembrano fasulle, gli impegni d'amore impossibili da mantenere. Non perché non lo vogliamo, ma perché non possiamo. La nostra natura, i desideri, sono più forti e agiscono per loro conto, inconoscibili, indisturbati, disturbando ogni altra promessa. Che brutta persona sono diventata! Ero così credulona! Ora mi pare di vedere un Hyde in ognuno, anche in te. Passerà, lo so, per questo parto, per tornare fiduciosa come prima e togliermi questi pensieri dalla mente. Ti voglio bene (mi pare di amarti, ma non oso dirlo).*

*Sabina*

# 5.

"Per te che non sei mai stata in America, venire per la prima volta a Washington – anzi a Charlottesville, perché è lì che c'è l'università e stiamo noi – non sarà come arrivare a New York, anche se ci sono parecchi posti da vedere qui intorno, i posti del loro passato più antico. Qui vicino, alla fine del Cinquecento, è sbarcata una delle prime spedizioni inglesi. Dopo tre anni sono morti tutti, scomparsi. Vent'anni dopo ci hanno riprovato e questa volta sono rimasti. E poi vicino a Charlottesville si sono affrontati i generali Lee e Grant durante la guerra di Secessione. Luoghi storici, alla faccia di chi dice che qui non c'è storia!"

Suo fratello guida su un'autostrada simile a quelle dei telefilm americani che lei doppia in Italia. Daniele ha qualche capello bianco, poche rughe intorno agli occhi e sulla fronte, sembra un giovane attore invecchiato dal trucco. Si è stempiato e la fronte già alta finisce ora quasi al centro della testa.

"Sono venuta soprattutto per stare con te e con i bambini. E per conoscere meglio Anne, l'ho incontrata solo quando papà è morto."

"Anne parla benissimo l'italiano e ci tiene a parlarlo. Ha seguito un corso e obbliga me e i bambini a parlare italiano a casa."

"Quello che avresti dovuto fare tu."

"Non ci ho mai pensato, sono venuto qui per restarci."

"Che c'entra, non ti vergognerai mica di essere italiano?"

"Figurati, qui poi è un titolo d'onore, soprattutto all'università, siamo in tanti, sai. Almeno sette solo nella mia università, te li farò conoscere: magari trovi un marito e resti qui."

Daniele ride. Suo fratello che ride, se l'era dimenticato, anche che fosse così attraente, il viso largo, gli occhi neri uguali a quelli della madre. La madre, come rivedere un po' anche lei. Le mani sul volante sono lunghe come quelle del padre. Con il tempo Daniele ha cominciato ad assomigliargli, è dimagrito e le spalle gli si sono incurvate. Chissà se anche a lui, guardandola, sembra di incontrare i morti.

"Non voglio sposarmi e poi sono fidanzata."

"Sempre con l'attore?"

"Sì, con lui. Da bambino Franco è vissuto in America per qualche anno, proprio a Washington. È figlio di un ingegnere, fino a tredici anni ha viaggiato con i genitori, poi il padre è morto e lui è tornato in Italia con la madre."

"Perché non è venuto con te?"

"Lavoro, una serie televisiva. E i bambini? Parlami di loro."

"Giovanni ha cominciato l'asilo quest'anno, viene a prenderlo un pulmino. Piangeva ogni mattina, non voleva lasciare Anne: ora si è rassegnato, la saluta dal finestrino fino all'ultimo. Le somiglia molto, è biondo con gli occhi celesti, sembra un olandese. La famiglia di Anne è di origine olandese. È taciturno, gli piace stare nella sua stanza a giocare. Forse non avremmo dovuto mandarlo a scuola, ma Anne non ce la faceva con tutti e due."

"Ha ripreso a insegnare?"

"No, non ancora, Bill è troppo piccolo. Lui invece somiglia molto a noi, è bruno e ha gli occhi blu come i tuoi. Ma ti ho mandato le fotografie via e-mail."

"Tu non sai cosa sia un primo piano, tutto quel prato di cui non mi importava niente."

"Eravamo andati al lago, avevo comprato una di quelle macchinette che si gettano. Anche Anne si lamenta che non abbiamo fotografie dei bambini."

"Le ho guardate con la lente d'ingrandimento per capire com'erano i lineamenti, le espressioni. Comunque me le hai mandate quasi un anno fa."

"Ogni giorno penso di scriverti e poi è sera, sono stanco, rimando al giorno dopo. Comunque neanche tu scrivi molto. È così semplice con l'e-mail."

"Passano i giorni e non trovo neanche il tempo di aprirla. E poi sei talmente telegrafico, non mi invogli a risponderti."

L'autostrada ora costeggia una zona molto estesa di colline in lontananza, spruzzate di neve. Il verde scuro degli alberi coperti di bianco sembra azzurro, e le nuvole basse fumi di accampamenti indiani. Il cielo si sta coprendo. Sabina rabbrividisce.

"Hai freddo? Aumento un po' il riscaldamento."

"Verrà a nevicare, cosa dici?"

"Potrebbe, è già nevicato, ma qui in basso si è sciolta. La campagna è bella con la neve, i bambini sarebbero contenti. E a Roma, faceva caldo?"

"No, caldo no. Ma forse sì, paragonato a qui faceva caldo."

"Quelli sono i monti Appalachi, c'è una strada molto bella che attraversa il Parco di Shenandoah. E poi ti faremo visitare Washington, la casa di Jefferson che è proprio sulla strada dove abitiamo noi, e i parchi delle città storiche, anche se sono baracconi per turisti, e naturalmente l'università, che però in questi giorni è chiusa. Gli studenti sono in vacanza."

"Non voglio fare la turista, non cambiate la vostra vita per me."

Daniele le lancia uno sguardo.

"Abbiamo molta voglia di fare delle cose insieme a te."

"Io ho soprattutto voglia di stare con te, è una vita che non ci vediamo."

Daniele si volta di nuovo verso di lei, le sorride, vorrebbe essere affettuoso ma tace, guarda davanti a sé, all'improvviso concentrato nella guida. Insieme ai lineamenti, alla risata, Sabina si era dimenticata di quanto fosse chiuso suo fratello. Da bambina era difficile parlare a lungo con lui. Forse per gli otto anni di differenza, Daniele non le ha mai concesso una vera intimità. Sabina, la sorellina, un buffetto sulla guancia, da trattare con dolce ironia come il mestiere che si è scelta. Anche se scherzando Daniele diceva di invidiare la sua agilità, e le faceva leggere poesie greche ad alta voce. *Sono sua sorella: oh, se volesse farmi un poco di posto nel suo nuovo prestigio! E degli affanni amari si smemori.* Recitava così per lui.

Questa volta non gli permetterà di chiudersi nel mondo del padre, non può accettare il silenzio, dovranno parlare, anche se lui non ne è capace.

Stanno entrando in città, Daniele torna vivace e comunicativo.

"Charlottesville è piccola, di grande ha solo l'università. Ora la vedrai perché ci passiamo vicino. Il primo nucleo l'ha costruito Jefferson prima di diventare presidente, si è ispirato alle antichità greche e romane. Il parco è immenso, ci sono più di dieci padiglioni neoclassici, frontoni, colonnati, pronai con colonne doriche e corinzie. E la famosa Rotunda che imita il Pantheon."

"Pazzesco!"

"In primavera, ai miei studenti che non hanno ancora visto né il Partenone né Delfi parlo di teatro e di letteratura greca davanti alla facciata dell'università, in modo da dar loro almeno un'idea dell'ambientazione di quei testi. Rimangono sconvolti al pensiero che tutto quello che hanno intorno è una copia di qualcos'altro."

"Qui sei felice perché ti considerano un reperto archeologico."

Daniele ride.

"Sì, in un certo senso, una rarità. Ecco, lì inizia il terreno dell'università, è uno spazio grandissimo, pieno di prati, alberi, giardini. Il dipartimento di Studi classici è nella parte più antica, nell'Academical Village disegnato da Jefferson. È uno spazio molto imponente, ti ci porterò, anche se in primavera e in autunno è decisamente più bello."

Daniele ne parla come della sua vera casa, con un'eccitazione infantile.

"Sei contento di stare qui?"

"Sì, abbiamo il meglio di ogni cosa per insegnare. Sembra assurdo, ma è qui che ho capito molte cose della civiltà greca, più che in Grecia o a Roma. Mi sembra di aver portato in un baule tutti i miei libri impolverati, quelli di papà, con le pagine ingiallite, staccate, le sottolineature, e che qualcuno qui li abbia rilegati e ordinati su delle mensole pulite pulite. C'è una grande atmosfera in questa università. Mi capita di pensare a come sarebbe bello, dopo una giornata di lavoro, dopo che sono stato sempre qui dentro, ho attraversato molte volte il prato, il colonnato, ho fatto lezione, studiato e scritto nel mio ufficio, chiacchierato con gli studenti, come sarebbe bello prendere la macchina e andare a casa, a Roma. Percorrere il Lungotevere, Testaccio, l'Isola Tiberina, viale Trastevere. Rientrare a casa con l'idea che di lì a poco uscirò di nuovo con Anne e mangeremo fuori con gli amici perché fa caldo, anche se è dicembre. Ma tutto questo è veramente impossibile."

Sabina ride.

"Molto difficile. E la vostra casa com'è?"

"Grande, un po' fuori città, con il giardino: per i bambini è meglio. È sulla strada verso Monticello, dove c'è la casa di Jefferson. I genitori di Anne ci hanno aiutato, da soli non saremmo riusciti a comprarla."

"Charlottesville è così piccola e avete avuto voglia di andarvene?"

Daniele sorride con una tristezza agli angoli della bocca.

"Qui si vive così quando si hanno bambini piccoli. Comunque per adesso è meglio, poi vedremo."

"Non pensi mai di tornare?"

"No, non ci ho mai pensato. Anche se mi mancate, tu e l'Italia."

Sabina si gira verso di lui, cerca di capire se è solo una battuta di spirito.

"Veramente ti manco?"

Daniele sorride senza guardarla.

"Certo. Se non fossi venuta tu, l'anno prossimo sarei venuto io."

Sabina distoglie lo sguardo dal fratello, fissa la strada che sale e scende, i cancelli delle ville separate da giardini, da siepi. Pensa al bacio senza contatto che le ha dato all'aeroporto. Un bacio sulla guancia, una carezza sulla testa. Le loro camere minuscole divise dal tramezzo, il fumo delle sigarette che ristagna fra le due stanze come un'inquietudine ferma, senza sbocco. Così ha scritto nella lettera a Franco, la stessa inquietudine che sente ora nel fratello. Rivederla in lui in un certo senso la tranquillizza, le sembra un riconoscimento, qualcosa che somiglia a una realtà. Quel passare da un argomento all'altro sfiorandolo, accarezzandolo con la punta delle dita. Per adesso è così, cercheremo di capire meglio più tardi, ora finiamo di mangiare, ti spiegherò dopo, diceva il padre. Quando dopo? Quel pranzo non aveva mai avuto fine.

"Ecco, siamo arrivati."

L'auto supera un cancello bianco, imbocca un viale verso una casa a due piani, neoclassica come tutta la Virginia. I genitori di Anne devono essere ricchi. L'auto si ferma davanti alle due colonne ai lati dell'ingresso. Il portone si apre ed esce Anne con Bill in braccio. Sabina sente una stretta al cuore, la prima da quando è arrivata. Il bambino grasso, in braccio a una semisconosciuta dalla pelle bianchissima, assomiglia al fratello, a lei.

Si sta spalmando un biscotto sul viso. La sconosciuta le sorride, un sorriso largo, felice. Sabina le va incontro.

"Ciao, Anne."

Anne non risponde, l'abbraccia con forza con l'unico braccio libero, la tiene stretta, non la lascia andare, le dà un bacio sulla fronte, mormora, come l'eroina di un film americano in bianco e nero doppiato da una vecchia attrice:

"Ciao, cara, sei la benvenuta, questa casa è la tua".

Gli occhi di Sabina si riempiono istantaneamente di lacrime, inarrestabili, come le succede quando rivede quei film. Inghiotte, cerca di rispondere. Alza gli occhi verso quelli blu del bambino così vicini e uguali ai suoi. Bill la guarda pieno di commiserazione, pezzi di biscotto ammosciato dalla saliva gli si sono attaccati intorno alla bocca, ora con la mano libera ne raccoglie uno, glielo tende. Sabina si stacca dall'abbraccio, lo prende.

"Grazie Bill, sono veramente affamata."

Daniele fissa il terzetto, poi apre il portabagagli.

"Anne parla l'italiano dei libri, quelli su cui ha studiato. Ho cercato senza successo di insegnarle un po' di lingua parlata."

Anne gli lancia uno sguardo ironico.

"Lasciamo a lui il lavoro che spetta agli uomini. Entriamo in casa, si gela mentre dentro è caldo. Ho predisposto la tua stanza, cara."

"Grazie, Anne, sono felice di essere qui."

# 6.

Carissimi, scrivo a tutti e due via e-mail la cronaca dei miei primi giorni qui. Per ognuno allego poi una piccola lettera personale. Questo è un posto strano e meraviglioso. Il secondo giorno mi sono svegliata con la neve. Aveva ricoperto tutto il giardino. Per inciso, Daniele ha sposato una donna fantastica: carina, intelligente, innamorata, ricca. Ogni giorno mi chiedo cosa ci trovi lei in lui, se escludiamo la bellezza e la cultura, e il fatto che sia italiano (che per Anne è un titolo di grande merito). Daniele è taciturno, distante, chiuso. Anne è molto comunicativa. Vuole a tutti i costi parlare l'italiano che ha studiato qui in una scuola e sui libri di poesia. È molto buffo e anche emozionante ascoltarla. Mi chiama spesso "cara", i miei occhi le "rimembrano il mare" e "lo suo cuore aspirava a una sorella". Io credo che Anne abbia sposato Daniele perché sperava che lui la portasse a vivere in Italia. Qui si sente una reclusa e cita spesso Leopardi: "Né mi diceva il cor che l'età verde sarei dannato a consumare in questo natio borgo selvaggio, intra gente zotica, vil". Ieri, dopo cena (Anne è anche un'ottima cuoca e ovviamente cucina italiano), abbiamo letto insieme le Ricordanze a Daniele che ci guardava storto. Lui qui è felice, studia e lavora sempre, anche in vacanza. Sto molto con Anne e con i bambini. Il giorno della nevicata, con Bill (un fantastico pupo italiano) e Giovanni (uno scontroso e geloso bambinetto olandese) abbiamo fatto il classico pupazzo di neve sul prato. Con i bambini cerco di parlare inglese perché la madre li obbliga a parlare italiano e loro lo odiano. Andiamo a fare la spesa insieme e mi hanno portato a vedere i posti famosi della zona, come la casa di Jefferson e la Michie Tavern, costruita su un mulino e rimasta esattamente come nel Settecento, dove si incontravano i padri fondatori. La casa di Jefferson è neoclassica, qui alla fine non ne puoi più di colonne, bianchi marmi di Carrara, cupole. Dentro scopri quanto pazzo doveva essere il tipo: il letto è organizzato in modo che se si alzava dalla parte destra trovava tutto per scrivere e dalla parte sinistra tutto per vestirsi, i cibi passavano dalla cucina sul tavolo da pranzo senza entrare in contatto con l'atmosfera, all'ingresso c'è uno specchio in cui ti vedi con la testa all'ingiù e altre eccentricità di questo genere. Anne adora Jefferson perché come lei era fissato con l'Italia. Jefferson ha scritto un saggio sul tempio di Vesta, conosceva a memoria i testi d'architettura di Palladio, leggeva i classici in greco e latino e ha fondato l'università di qui, dove lavora Daniele. Domani abbiamo in programma di visitarla. Andremo solo Daniele e io, almeno così mi ha detto, bisognerà vedere se all'ultimo momento non troverà un lavoro urgente da finire. La sera della Vigilia ceneremo qui e apriremo i regali. Credo che scambierò i regali dei bambini. Il pallone della Roma va meglio per Bill, che è un tipo fisico e non sta mai fermo, mentre le costruzioni le darò a Giovanni, che passa ore in silenzio a trafficare in camera sua. Il giorno di Natale verranno i genitori di Anne che abitano a Richmond. A Capodanno, Anne e Daniele hanno invitato dei loro amici, soprattutto professori dell'università. Sto bene, anche se fatico a entrare in contatto con mio fratello, ma i bambini sono così pieni di vita e Anne così ospitale che tutto sommato non rimpiango di essere venuta. Fa freddo fuori, ci sono tante specie di uccelli e di fiori qui, però in questo periodo tutto è ricoperto dal gelo, c'è un gran silenzio. Come tra me e mio fratello. Ci incontriamo ai pasti e lui riempie il silenzio di racconti di luoghi. Mi ha detto tutto sugli uomini, sulla storia, ora siamo passati alla natura e agli animali. Qui intorno, in primavera, arriva un uccellino blu, tutto blu, piccolo e panciuto, uno straniero da queste parti. Si posa sui rami più alti degli alberi e riempie l'aria con il suo canto. Daniele mi ha mostrato un disegno su una guida perché è difficile avvistarlo, anche dalle torri dei parchi costruite apposta per osservare gli uccelli. È blu come il mare, sembra tinto. Guardandolo ho sentito una forte identificazione, non so perché. Anche se io non riesco più a cantare e a rallegrare gli altri come fa lui.

Sabina

C'è un silenzio fra le due donne sedute una di fronte all'altra quando la voce dell'assente tace. Emilia accarezza Sara che le si è accucciata in grembo. Maria le lancia uno sguardo impaziente, guarda l'ora.

"Vuole che le legga anche l'altra lettera? Oddio, non mi ricordo se ci davamo del tu o del lei."

"Non lo so. Sì, se vuole mi legga anche l'altra."

Maria tira fuori della borsa l'altra lettera. Emilia non riuscirà più a liberarsi di quella donna. Sabina ha proprio deciso di metterla fra loro.

"Comunque non capisco perché le ha inviato le mie lettere, poteva semplicemente impostarle."

"Sabina mi manda spesso messaggi e-mail per sapere del lavoro, così era più semplice e più veloce. In ogni modo io lo faccio solo perché Sabina mi ha pregato di farlo, quindi non se la prenda con me! Posso fumare che sto impazzendo?"

"Fumi."

Maria si accende una sigaretta. Sara tira su la testa e la fissa.

"Lasciala stare, Sara, le ho dato il permesso. Dopo apriamo la finestra."

Maria emette un piccolo, rumorosissimo sospiro.

"Allora, ecco la lettera, così dopo me ne vado."

Il tono della voce è secco, sbrigativo.


*Emilia, amica mia, so da Maria che ti sei molto risentita del fatto che l'ho pregata di venire da te a leggere durante la mia assenza e che le ho lasciato il libro. Sbagli, Maria è una donna intelligente, piena di spirito e ti farebbe bene incontrarla di tanto in tanto. Devi uscire da quella casa, Emilia, le cucce dopo un po' puzzano come i taxi (ti ricordi quando ci tappavamo il naso entrandoci?), lasciatelo dire da una che in una cuccia c'è nata. Bisogna affrontare l'esterno per sentire com'è bello tornare a casa.*


Maria alza gli occhi su Emilia, vede l'espressione tesa della cieca, la solitudine negli occhi spalancati sul vuoto. Addolcisce la voce.

*Ti voglio bene come a una sorella, lo sai. L'ultima volta che ci siamo viste hai creduto di rivelarmi qualcosa di nuovo sul tuo affetto per me. Non ti sei mai accorta che io sapevo tutto. Dopo tanti anni di vita insieme, come potevo non accorgermene? Mi sembra incredibile che non ne abbiamo mai parlato direttamente, ma le cose tra le persone si mettono in un certo modo ed è difficile cambiarle. Il tuo affetto per me, diverso da quello che provo io, così appassionato e generoso, ha riempito le giornate della mia adolescenza. Tu sai quanto ne avevo bisogno, com'erano chiusi i miei. Anche oggi penso a te come alla famiglia che mi è rimasta. Tu mi ami sopra a tutto, come mia madre. Mia madre mi manca molto in questo periodo. Prima di partire non sono riuscita a dirti cosa mi tormenta, non riesco a esprimerlo con le parole. Sono venuta qui per parlarne con mio fratello, anche se ogni giorno che passa mi rendo conto che non avrò mai il coraggio di dirlo a nessuno, meno che mai a Daniele. Forse sarebbe possibile rivelarlo a un perfetto estraneo, che non conosce la mia storia e non mi vede già in un certo modo. Anche se Carla, l'eroina del libro, nel suo viaggio in incognito non riesce a raccontare di sé a nessuno. Ho finito il libro prima di darlo a Maria, ero curiosa di sapere dove si sarebbe fermata e cosa avrebbe capito di sé nella fuga. Non ti anticipo niente, fattelo leggere da lei. Devi uscire, Emilia, devi andare all'associazione, ci sono un sacco di cose che puoi fare. Non c'è colpa a essere ciechi, non c'è nulla da nascondere, puoi condividere con altri conoscenza e amore, come tutti, forse più degli altri. Con me ci sei riuscita. Un bacio*

*Sabina*

Nel silenzio sente il rumore della carta ripiegata, quello della sigaretta schiacciata nel posacenere. Un sospiro profondo di Sara che sembra aver ascoltato con loro la lettera, e poi le parole di Maria:

"È una bella persona, sta passando un momento difficile, me n'ero accorta".

Gli occhi di Emilia non si sono spostati. Le mani appoggiate sul dorso del cane tremano.

"Le confesso che l'ho letto anch'io il libro. Sabina mi aveva detto di andare avanti fino a un certo punto, e invece l'ho finito. La sera sono spesso sola."

Emilia tace.

"Vado, è tardi, devo fare la spesa, sono affamata."

"Aspetta, resta a cena qui, se non hai altri impegni."

L'ha mormorato quasi senza voce. Maria ci pensa su un attimo.

"Chi cucina?"

"Sono una grande cuoca."

"Allora va bene."

# 7.

Maria sbuccia e ingoia pistacchi, beve vino e guarda Emilia. La cucina è calda, pieni di fumi. Emilia ha preparato in un attimo il soffritto per il sugo, ora infarina le fettine, ogni tanto cambia l'acqua all'insalata. In un piatto ha già tagliato a pezzetti le mele da aggiungere all'insalata insieme al mais e alla rucola.

"Sei bravissima, io invece odio cucinare, forse perché ho cucinato tanto quando ero sposata. Comunque ero una schiappa anche allora."

"Non ci vuole niente. Certo, so solo le ricette che ho imparato prima, quando ci vedevo."

"Mi pare che non hai fatto niente di nuovo da quando sei diventata cieca."

Emilia si ferma con le mani infarinate.

"Cosa ne sai?"

"La lettera di Sabina lo faceva capire, credo che lei ti conosca bene."

Emilia getta la farina avanzata nell'immondizia. Prende l'olio e una padella.

"Non mangiarti tutti i pistacchi, ti va via la fame. Raccontami piuttosto il libro, a questo punto sono l'unica che non l'ha letto, non ho più voluto ascoltare la registrazione da quando Sabina è partita."

"Ne sei molto innamorata?"

Emilia si blocca di nuovo con la bottiglia dell'olio in mano.

"Senti, sono una persona riservata, non sono sciolta su certi argomenti, non mi piace parlarne... e poi tu che ne sai? Arrivi e fai domande."

Maria lascia il sacchetto di pistacchi a malincuore, beve una lunga sorsata di vino.

"Sono diventata troppo diretta con l'età. Ho cinquant'anni compiuti da un mese, non ho tempo da perdere. Prima che mio marito si innamorasse dell'amica di mia figlia, ero come te. Riservata, timida, insomma passavo un sacco di tempo a non dire niente e spesso rimanevo fregata. Quando lui se n'è andato volevo ammazzarmi, mi sembrava di aver perso tempo prezioso a stare con un uomo che non mi aveva mai amato. Ti confesso che in quel periodo ho anche pensato al rapporto con una donna come a una possibile soluzione. Ho un'amica che ama le donne. Mi ha detto che dopo una certa età è una scelta quasi obbligata. Non mi è piaciuta la risposta e non ci ho più pensato. Sono rimasta romantica malgrado tutto, meglio niente che un ripiego. A te non va di parlarne, va bene, però secondo me fai male, perdi un sacco di tempo anche tu. Dio, come mi piace vederti cucinare, sembra lo spettacolo di un'equilibrista al circo!"

"Ti ringrazio per il paragone."

"Siete mai state insieme tu e Sabina?"

Emilia sbuffa.

"È una mia amica. Conosci Franco?"

Maria riapre il sacchetto dei pistacchi.

"Ne prendo solo due. Sì, me lo ha presentato una volta che è venuto a prenderla al lavoro. È un bell'uomo, tu l'hai mai visto?"

Emilia gira nervosamente le fettine.

"No, l'ho sentito parlare e mi è bastato, è un depresso."

"Be', senti, io sono diretta, l'avrai già capito. Non credo sia giusto che una donna come te consideri gli uomini dei concorrenti e li detesti. Allora le donne dovrebbero sistematicamente detestarsi, invece non è vero. E poi a te gli uomini non hanno fatto niente, a me sì eppure non li odio."

"Sai che sei un bel tipo? Sono una donna, mica un uomo. Una donna a cui piacciono le donne, ma non per questo divento un uomo."

"Finalmente l'hai detto! Oggi è un giorno importante nella tua vita! Attenta che le scaloppine si attaccano."

Emilia volta le fettine e si brucia con uno schizzo d'olio. Maria si alza, le prende la forchetta dalle mani.

"Metti il dito sotto l'acqua. Ci penso io qui."

Emilia apre l'acqua fredda, tiene il dito sotto il getto, ha un'espressione furiosa sul viso. Maria volta le fettine, raccoglie un po' di sugo con la forchetta, lo assaggia.

"Buono."

Emilia chiude l'acqua del rubinetto, recupera la forchetta dalle mani di Maria.

"Senti, non voglio arrabbiarmi. Sono contenta che sei rimasta a cena, ma non mi va di parlare di queste cose, va bene?"

Emilia spegne il fuoco sotto la carne, gira la pasta che ha gettato nell'acqua bollente. Maria si siede, accende una sigaretta.

"No, non va bene. Avrei mille domande da farti ma non importa. Per esempio, toccare un corpo uguale al mio in linea di principio a me fa impressione, così penso che si debba essere un po' uomo dentro per poterlo toccare con piacere."

Emilia si ferma con il cestino del pane in mano.

"Non importa, non importa, non ne parliamo. Cosa porto di là?"

"Gira la pasta, è quasi pronta."

Maria gira i rigatoni, vede sul frigorifero una fotografia di Emilia e Sabina a quindici-sedici anni, al mare. Emilia guarda Sabina con una passione esclusiva, già adulta. Maria pensa che dev'essere bello suscitare una passione così forte, che dura negli anni, e anche che Emilia fortunatamente non vede il suo viso, le rughe dovute alle sigarette e all'insonnia. Immagina le sue mani agili sul telaio, e il telaio come un corpo. Emilia entra in cucina.

"Andiamo a mangiare. Sei taciturna di colpo, cosa guardi? Ti interessa solo la mia vita sessuale o pensi che possiamo trovare altri argomenti?"

Maria spegne la sigaretta, prende il parmigiano dalle mani di Emilia.

"Pensavo a Sabina, alla sua crisi. Te ne ha parlato?"

Si siedono a tavola. Sara accucciata a terra fra loro aspetta qualche avanzo.

"No. Ha voluto sapere da me qualche ricordo della sua adolescenza. Ha la sensazione irreale che la sua famiglia non sia mai esistita. Il padre e la madre sono morti. Forse per questo è andata a trovare il fratello. Ha fatto un sogno, questo mi ha detto, ma non me l'ha raccontato. Forse ne ha parlato con Franco."

Emilia le ha dato la pasta, ora si serve. Si passano il parmigiano. Iniziano a mangiare.

"Una delle ultime volte che abbiamo pranzato insieme le ho raccontato di mio marito, del suo tradimento con l'amica di mia figlia. Non l'avevo detto a nessuno sul lavoro, non mi piace suscitare compassione."

"Neanche a me, per questo non esco."

"Era molto colpita. Soprattutto quando le ho detto che consideravo normale il fatto che un marito lasciato solo possa sedurre l'amica di tua figlia."

"È un paradosso. Sabina non ha un grande senso dell'umorismo."

"Paradosso mica tanto. Forse oggi, con il trionfo della giovinezza, è una cosa ancora più diffusa, però in fondo c'è sempre stata. Certo, ci sono le barriere che ognuno di noi ha dentro, ma se la barriera crolla all'improvviso? Può succedere. E il desiderio, quel desiderio esiste, non si può far finta che sia una deformità di pochi. Mio marito non è un mostro. Abbiamo discusso di queste cose e alla fine lei mi ha chiesto chi era l'assassino della ragazza che correva nel parco in un insulso telefilm americano che aveva doppiato."

"Sì, me ne ha parlato."

"Doppiamo i film a pezzetti, così gli attori non ci capiscono niente. Tutti pezzetti che non trovano un ordine, una trama coerente, un po' come succede nella vita. È così buona questa pasta, ne prendo ancora un po'."

Maria lascia cadere un pezzetto di pane per Sara.

"Non le dare niente, è bravissima a recitare la parte dell'affamata, ma ha già mangiato."

"Lo faccio solo per ingraziarmela, per farle accettare il fumo delle sigarette."

Emilia sente il profumo di Maria, per la prima volta riesce a isolarlo dall'odore della nicotina. Un profumo di limone, latte, sapone, sembra l'acqua di colonia dei neonati, molto diverso dal profumo di rose di Sabina. Le viene in mente l'uccellino descritto nella lettera.

"Sabina è veramente come quell'uccellino blu di cui parla nella lettera. Blu sono i suoi occhi. Arriva non si sa da dove, neanche lei lo sa, si poggia su un ramo alto in modo che nessuno si accorga di lei, e canta. Ti sei mai resa conto del fatto che Sabina è bellissima?"

"Certo, è molto carina."

"No, è bella, ma fa in modo che la gente pensi di lei che è carina. In fondo questo è anche il suo fascino. Comunque non credo che riuscirà a parlare con suo fratello, Daniele ha messo l'oceano tra il presente e il passato. E il personaggio del libro, perché non riesce a raccontare a nessuno di sé? Cosa le succede?"

"Lo vuoi sapere veramente? Magari potrei venire a leggere qualche giorno a settimana."

"No, leggi male, sei più interessante quando parli."

"Ti ringrazio. Allora, dov'eri arrivata?"

"Dopo l'avventura con quell'uomo, nell'albergo al mare fuori stagione. Carla parte per Nizza, un lungo viaggio in treno."

"A Nizza si ferma, parla bene il francese. Lavora in un ristorante italiano. C'è un ragazzo, uno dei camerieri, che le ricorda suo figlio. Il ristorante le lascia delle mattine libere, Carla passeggia sulla Promenade des Anglais. C'è sempre il mare nei posti in cui si ferma, forse perché è da un posto di mare che è cominciata la sua fuga. Le capitano una serie di avventure deludenti con degli uomini. Incontra una donna con cui chiacchiera ed esce la sera. Un giorno passa per caso davanti a una biblioteca, ci entra. Sono quasi tutti universitari che studiano per gli esami, anche qui le viene da pensare ai figli. In quella biblioteca, guardando i ragazzi che studiano, Carla sente che l'amore, l'incontro con degli sconosciuti, i pensieri sul marito, il sesso, non la riportano a sé, ma l'allontanano dallo scopo del viaggio: capire dov'è nata quella paura che le rende impossibile stare nella vita come gli altri. Adesso te lo sto riassumendo, ma è bello per esempio il pezzo in cui entra nella biblioteca, prende un libro e si mette a sedere a un tavolo, in mezzo a quei ragazzi che la guardano come una marziana. Li osserva senza farsi vedere. Il modo in cui aggrottano le sopracciglia, come giocano con la matita, come guardano distratti da una finestra. La fatica che fanno a impadronirsi dei concetti contenuti in quei libri la riporta al tempo in cui studiava economia all'università. Le sembrava in quel periodo, come forse a tutti, che ci fossero un sacco di cose da capire sugli uomini, sulla ragione delle loro decisioni, che i libri contenessero dei segreti per comprendere gli esseri umani. Anche la scelta dell'economia aveva alla base il desiderio di studiare una materia razionale, applicata ai comportamenti e alle decisioni umane. E poi, a poco a poco, non c'era stato più collegamento fra le due cose, i libri, lo studio, il lavoro, la sua vita privata. Forse non c'era mai stato un collegamento, pensa Carla, forse le paure non avevano niente a che vedere con gli scopi pratici, razionali, che si era prefissata. Neanche il lavoro prestigioso, conquistato con tanta fatica, aveva scalfito la paura, era identica a quella che provava da bambina prima di addormentarsi. Tanti libri, tanto studio, a cosa erano serviti? Esattamente come avveniva nella scienza che si era scelta: tante analisi, tanti calcoli e nessuno che capiva più niente sul futuro dell'economia. Il punto era tornare indietro, ricominciare proprio da quei ragazzi seduti intorno a lei, pensare ai libri, alla cultura, come a un ponte teso fra le età, fra le nostre e le loro debolezze. Così Carla comincia ad aiutarne uno, uno che se ne stava tutto il giorno fuori a fumare e non studiava mai. Un rapporto bello, molto ben descritto, fra lei e il ragazzo. Il disprezzo del ragazzo per lei, che è poi disprezzo di sé, come lei lo aiuta a studiare, come ne scopre le debolezze, la solitudine, come gli accenna qualcosa della sua storia senza rivelargli nulla per paura che lui la prenda per pazza. A mano a mano che entra nella mente del ragazzo per aiutarlo a studiare, e riesce a farlo stare fermo alla scrivania, a fargli sentire che la gabbia è il suo continuo bisogno di muoversi, non lo studio, le sembra di capire se stessa, di ritrovare il legame perduto fra le emozioni, le paure di ora e le scelte della sua giovinezza. Alla fine lui supera l'esame, il suo primo esame. Lei lo aspetta fuori dell'università, lo vede arrivare felice, ridere con un amico in lontananza. Si è nascosta perché il ragazzo non ha detto a nessuno del suo aiuto, se ne vergogna. Lo guarda da lontano, così diverso da come lo ha incontrato, decide di allontanarsi, di andarsene. E per la prima volta vede le strade, il mare, le palme, reali e al loro posto come non li aveva mai visti. Forse tornerà a casa, forse no. Non si sa."

La pasta è fredda nei piatti. Maria infilza gli ultimi rigatoni, beve un sorso di vino.

"L'hai raccontato bene, avevo ragione a insistere. Sei brava a raccontare."

"Grazie, mi fa piacere. È un bel libro, dovresti ascoltarne almeno qualche passaggio. Ascoltare le parole dello scrittore."

"Ero sempre io a riassumere le trame a Sabina, cercavo di farlo meglio che potevo perché non si annoiasse."

Maria si alza, raccoglie i piatti.

"Vorrei assaggiare la carne e l'insalata. Sono sempre affamata, forse perché fumo e dormo poco."

"Se vuoi puoi fumarti una sigaretta mentre scaldo la carne."

"Dopo, dopo. Non ti pare incredibile che Carla, che ha appena abbandonato i suoi figli, trovi un ragazzo della loro stessa età e lo aiuti a superare l'esame?"

"Devi allontanarti per vedere."

# RETE

# 1.

Un fratello e una sorella rimasti soli, fuori della loro città, si incontrano dopo tanto tempo nel cimitero dove è sepolto il padre. Oreste ed Elettra si abbracciano, si riconoscono (*accosta al punto del taglio il ricciolo di questo tuo fratello così uguale in tutto a te*), finalmente parlano, si raccontano ciò che già sanno, ciò che è accaduto nella loro casa e decidono il da farsi. Questo nella tragedia greca, pensa Sabina, dove Eschilo può raccontare tutto – anzi, deve farlo –, l'uxoricidio, il matricidio. Il racconto serve a salvarsi, la catarsi è perdono e speranza. E qui?

Camminano nel prato sterminato dell'università. Non se ne vede la fine. Ai due lati il colonnato. In fondo c'è la Rotunda di Jefferson. Ovunque si vedono colonne doriche, corinzie, frontoni, pronai. Hanno appena superato una statua di bronzo di Socrate sostenuto da un allievo. La Grecia americana è coperta di neve, un paesaggio silenzioso, incontaminato, senza uomini. Gli studenti sono in vacanza. I templi dello studio emergono bianchi dal bianco. Forme tremolanti, miraggi o fantasmi di altri edifici scomparsi. Sembra veramente il cimitero del padre, di tutto quello che contava per lui. Avrebbe dovuto essere sepolto qui, nel posto in cui lavora suo figlio, davanti alle colonne dove gli studenti americani passeggiano, studiano i classici, argomentano di filosofia come ad Atene. Chissà che lavoro faranno questi studenti una volta usciti da qui, in America. Professori anche loro. Il padre era fiero di Daniele, dopo tante litigate aveva scelto il suo lavoro, a un livello molto più alto. Alla fine era stata proprio lei a tradirlo.

L'urlo di un uccello invernale le fa alzare lo sguardo. La voce del fratello sembra arrivare da lontano, eco di un messaggio partito secoli prima, arrivato in quel posto in cui sono gli unici sopravvissuti.

"Abbiamo ogni anno diciannove corsi per MA e PhD, comprendono una larga scelta di autori e testi antichi. Omero, Esiodo, Erodoto, Senofonte, lirici greci, poesia ellenistica, tragedia, poesia latina, mitologia..."

Un inserviente attraversa il colonnato in lontananza. Daniele lo saluta agitando il braccio, urla:

"Hi!".

Forse i sopravvissuti alla catastrofe dimenticheranno il linguaggio, non sapranno più leggere, odoreranno i libri sperando siano commestibili. Parleranno a monosillabi, *Hi!*, a gesti, a suoni onomatopeici, *bau bau*, *chicchirichì*, *splash*.

"'Onomatopeico' da cosa viene?, non me lo ricordo più."

Daniele non ama essere interrotto. Segue un filo, prima una cosa, poi l'altra, odia essere strattonato. Anche in questo è simile al padre, *ti spiego dopo mangiato, ogni cosa a suo tempo*. Prima la flemma del padre gli dava ai nervi, ora è diventato come lui. La calma frenava rare collere isolate e violente.

"Da *ónoma*, nome, e *poieîn*, fare. Perché?"

"Così, pensavo. Scusa, ti ho interrotto."

Sabina si volta, la striscia delle loro impronte affiancate si allunga a ogni passo. Quelle grandi del fratello, le sue più piccole. Per sapere dove sono diretti bisognerebbe fermarsi, voltarsi, rimettere i piedi di nuovo nelle impronte e tornare al punto di partenza. Come quando giocavano a Monopoli, *tornare indietro senza passare dal Via fino al Parco della Vittoria*. Magari potrebbero invertire le posizioni, lui nelle orme della sorella, lei in quelle del fratello. Lui dovrebbe camminare in punta di piedi, lei raddoppiare il passo.

"Guarda le nostre orme, Daniele. Sono le uniche tracce nella neve."

Daniele si volta, sorride.

"Bello, no?"

"Sì. Non sai invece quanta gente c'è normalmente sul prato, soprattutto in primavera."

"Cosa ci fanno in America con una laurea in letteratura greca?"

"Insegnano letteratura greca ad altri. Non tutto deve servire a qualcosa, no?"

"Sì, l'ho sempre pensato anch'io. Ne discuto spesso con Franco. In Italia c'è un'atmosfera così depressa in questi anni."

"Per questo me ne sono andato. E poi il mio stipendio all'università equivaleva più o meno alla paghetta del figlio di un calciatore."

"Ma non è solo questione di soldi, è lo stile di un intero paese. Vorresti amarlo e infatti lo ami, ma devi chiudere gli occhi, tapparti le orecchie e alla fine ti accorgi che non vedi più niente, che stai solo nello spazio interno della tua coscienza, che hai tagliato ogni rapporto con l'esterno e te lo figuri com'era prima, in un prima non sai più quale. Te la ricordi Emilia? Vado a leggerle due volte alla settimana, è diventata completamente cieca."

"Mi dispiace. Certo che me la ricordo, era intelligente e spiritosa. Vive da sola?"

"Sì, si è organizzata. La madre l'aiuta, lavora a casa, praticamente non esce mai. In casa non vuole oggetti nuovi, solo quelli che conosceva quando ancora ci vedeva. Si fa leggere nuovi libri e raccontare i film appena usciti per cercare di capire come va il mondo. Non sono cieca, eppure certe volte mi sembra di vivere come lei. Mi fa così schifo quello che ho intorno. Cerco aiuto nei libri, nei film, ma poi mi chiedo: a questo serve la cultura, a dare conforto a una cieca, a farti sentire informata su un mondo che non vuoi più vedere? Non dovrebbe invece essere in qualche modo collegata all'azione, a quello che fai? Alla fine ti domandi a cosa ti serve aver studiato. Tutti in fondo se lo chiedono. Franco se lo chiede ogni giorno. Io no, pensavo come te che non tutto deve servire a qualcosa, che il fatto di sapere delle cose, di averle capite, ci fa prima di tutto essere come siamo. Ora non ci credo più tanto."

"Con il tuo lavoro non è andata come speravi, vero? D'altra parte lo sapevi che riescono in pochi, è così per tutti i mestieri artistici."

Dovrebbe evitare quel tono paternalistico. Sabina non potrà frenare la rabbia se lui usa quel tono di affettuosa commiserazione.

"Ascolta, tu dall'Italia sei fuori da un po'. Prima di tutto riuscire a recitare non vuole assolutamente dire che sei brava. Dovresti vedere le attrici della televisione! Di cinema se ne fa pochissimo. Il teatro è un mondo di sopravvissuti. Io doppio telefilm, non mi dispiace. Almeno fossero belli! Comunque non è questo. C'è un'apatia, un conformismo dilagante. Ci sono i nostalgici di non si sa cosa, che si lamentano sempre, e poi quelli che fanno soldi a palate, non si sa come. C'è chi lavora tutto il giorno, la sera guarda la televisione, spegne la luce, dorme: la maggioranza. Gli intellettuali, pochi, vivono come ciechi volontari. Per i più giovani in fondo è uguale. Alcuni non vogliono mischiarsi, vivono con poco, fumano spinelli, amano gli animali, leggono, stanno fra loro, odiano la società, cioè gli altri. Gli altri vestono firmato, si scambiano suoni onomatopeici, ballano, ingoiano pasticche, si uccidono in auto. Chi nei due gruppi non muore prima dei vent'anni replica il modello adulto di appartenenza: fare soldi o lamentarsi, guardare la televisione prima di dormire o accecarsi. Abbiamo una storia, una cultura, l'arte, basta che ti guardi intorno per saperlo. Ma a cosa ci sono servite? Nelle nostre azioni quotidiane a niente. Forse è solo qualcosa che ci abbellisce, ci fa essere diversi, discutere o fare bella figura. Qual è il legame tra quello che abbiamo studiato e quello che facciamo? In fondo le persone andrebbero giudicate dalle loro azioni."

Sono arrivati davanti alla Rotunda. Effettivamente somiglia in modo comico al Pantheon, anche se i muri sono di mattoni rossi invece che di pietra. Daniele ci si ferma davanti.

"Non penso più a queste cose da quando sono qui. Ci ho pensato talmente tanto prima di partire. È un ragionamento che non trova sbocco. Non vuoi essere emarginato perché hai studiato e perché cerchi di fare le cose correttamente. Di fatto lo sei, non sai come uscirne e ti lamenti. Non ce la facevo più. Da quando sono qui vivo in due mondi: quello di Anne e dei bambini e quello dell'università. Non si può dire che viva in America, questa non è l'America, anche se la nazione è nata proprio in questa zona, in un'epoca in cui cercavano di essere simili a noi, ci imitavano. Se alzo la testa vedo un edificio come questo. Probabilmente è patetico stare davanti all'imitazione del Pantheon, eppure oggi mi interessa di più che avere l'originale sempre davanti agli occhi e non vederlo. Mi piace anche il ricordo che questa copia mi restituisce, come le poesie di Leopardi che mi recita Anne. Qui sembrano ancora forti, vere. Forse perché le recita con l'accento, forse perché le ama tanto. Anche sentirle recitare da te mi piace, penso che tu sia una brava attrice. In Italia queste stesse poesie mi parevano coperte di polvere, come quelle che declamava male papà. Qui la cultura antica non puzza: non serve a niente fuori di qui, ma almeno non puzza. Hai freddo, vuoi che entriamo?"

Sabina trema. Non è abituata a parlare tanto con il fratello, inoltre all'improvviso ha paura che quello che deve chiedergli salti fuori in modo inaspettato. Allora preferisce tirare in ballo il padre subito, per tenere sotto controllo l'argomento.

"Papà sapeva tante cose, studiava sempre, ha studiato tutta la vita. È questo lo ha aiutato a essere quello che era? Io non lo so com'era papà, tu ne hai un'idea? In fondo fai un mestiere simile al suo, avete le stesse passioni, anche se tu le eserciti in un mondo che non puzza."

Daniele ride, la prende sottobraccio, tornano indietro senza calcare le loro vecchie impronte, come aveva immaginato Sabina, aprendo una nuova pista parallela alla prima.

"Andiamo nel mio ufficio a bere un tè. Discuti più di prima, eh? Prima eri silenziosa, non capivo mai da che parte stavi. Papà... com'era papà? Mi ha lasciato i suoi libri, li ho portati qui. Le frasi sottolineate, i suoi appunti a margine. Per un po' ho cercato di farmi un'idea dell'uomo. Non era facile capire chi fosse parlandoci. Nei libri annota con diligenza le relazioni tra gli argomenti, fra gli autori, scrive: *come dice tizio, come dice caio*. Oppure chiosa sulla traduzione. Adora i concetti astratti, li applica anche alla poesia. Ma qualche volta scrive: *Bello! Sublime!* In margine, come un bambino incantato. Mi sono fatto l'idea di un ragazzino puntiglioso, se lo contraddicono si arrabbia, noioso, che si commuove facilmente. Un uomo che cerca in ogni modo di essere razionale, ma non ci riesce tanto. Io lo sono molto più di lui, sono più freddo. Anne me lo rimprovera sempre, dice che mi perdo il settanta per cento della vita. Per gli americani le percentuali sono tutto. Papà mi ha lasciato anche il suo libro, il famoso libro... te lo ricordi? Si può dire che ci ha lavorato tutta la vita."

"Il libro che scriveva e correggeva la sera. Me ne sono ricordata poco tempo fa. Allora esiste?"

"Sì, a me ne parlò quando ero ancora ragazzo. Non voleva farlo leggere a mamma, mi disse che lo avrebbe pubblicato sotto falso nome, ma che a me lo diceva perché ero un uomo. Credo si figurasse un grande successo e voleva che io sapessi che era stato lui a scriverlo. Nessuno gliel'ha mai pubblicato, malgrado lui lo abbia mandato a diversi editori. È scritto in una prosa antica, non proprio da libro *Cuore*, ma quasi. Il contenuto è molto diverso. Mamma era convinta che lui volesse farglielo leggere solo una volta pubblicato, poverina. L'ho letto appena sono arrivato qui, l'ho pescato fra gli altri nella cassa dei suoi libri. È la storia della relazione tra un professore e una sua allieva. Un misto di *Lolita* e dell'*Angelo azzurro*, scritto con uno stile ottocentesco. Un uomo maturo trascinato nel gorgo del peccato da una ragazza sfrontata e corrotta, tra le mura della scuola, gli squilli della campanella, la sala professori e le stanze a ore dove si incontrano. Questa è l'ultima idea che mi sono fatto di lui: la vita con mamma non doveva essere molto felice da quel punto di vista. Se poi abbia avuto una relazione con una studentessa, non lo so, ma non credo. Tutto nel libro è molto teorico, lirico, annacquato, anche se i dettagli erotici rivelano una certa conoscenza." Daniele le lancia uno sguardo. "Sei gelata... ti faccio il tè, ho dei biscotti, entriamo. Comunque se vuoi te lo do, puoi leggerlo."

"Forse, non so se ne ho voglia."

"Dopotutto non c'è molto da scandalizzarsi, se pensi che il nostro probo e amato Thomas Jefferson, che ha costruito questa università – democratico, illuminista e innamorato della cultura classica –, dopo la morte della moglie ha avuto una lunga relazione con una schiava mulatta, una ragazzina di quattordici anni – lui ne aveva quarantaquattro – a cui ha fatto fare cinque figli."


Il girino dà segni di sé. La nausea l'ha colta mentre tornavano indietro. Il fratello parlava del padre, un vortice incontenibile le ha stretto lo stomaco. Quando inizia la nausea le pare che intorno tutto puzzi e non ci sia al mondo un solo luogo pulito. All'inizio ha pensato fossero le parole del fratello a provocarla, il libro del padre, la scoperta dell'argomento, poi ha capito che era il girino che si stava svegliando. Manda giù il tè a piccoli sorsi per non vomitare. L'ufficio di Daniele ha l'odore dei libri, mischiato al tè e alla moquette non perfettamente pulita. Un odore inglese, lo stesso delle aule del college a Oxford, dove la madre l'aveva mandata a studiare l'inglese. Lì ha fatto l'amore per la prima volta con un insegnante che le faceva la corte. Ci dev'essere una propensione familiare per il rapporto studente-professore. Per molti anni si è innamorata di uomini più grandi, Franco è il primo a esserle quasi coetaneo.

È caldo l'ufficio di Daniele, classico: una libreria di legno scuro occupa tutta una parete, sulla scrivania c'è una lampada con l'abat-jour di vetro verde, di fronte due poltrone di pelle. Sulla porta una targa d'ottone con il nome del fratello. Professor Daniele Conte.

Quando il professore inglese ha bussato alla porta della sua stanza se lo aspettava. Aveva quindici anni, uno in più della schiava mulatta, ma aveva capito benissimo che lui sarebbe venuto quella sera, perché era l'ultima. Avevano flirtato tutta la vacanza, soprattutto il sabato. Ragazzi e professori si ubriacavano insieme prima di andare a ballare, poi si distribuivano nelle stanze a coppie. Una sera si erano baciati ballando, ma quando lui le aveva toccato il seno sopra la camicetta, lei gli aveva fatto capire che non era pronta a ospitarlo nella sua stanza. Così erano andati in bicicletta nella campagna, in barca sul fiume e avevano parlato di letteratura e di poesia. Era stato il primo a cui Sabina avesse confessato di voler diventare attrice. Subito dopo lui le aveva infilato una mano nelle mutandine, come se la confessione l'avesse resa ai suoi occhi più vulnerabile o meno seria. Un'attrice è fatta per essere sedotta.

Daniele l'ha lasciata lì in balìa dei pensieri, di quel ricordo, è andato a controllare la posta, i fax. La nausea non le dà tregua, chiude gli occhi. La prima volta con il professore non ha perso sangue. Le ragazze esperte dicevano che se ne perdeva e che faceva male. Emilia si era informata, ma forse esagerava per gelosia. A Sabina era piaciuto essere spogliata sul letto, essere accarezzata, le era venuta la pelle d'oca, i capezzoli erano diventati duri, la penetrazione era arrivata senza preavviso. Lui era riuscito a entrare con difficoltà, spingendo ripetutamente con il bacino, allargandola con la mano perché lei non si era bagnata. Ma non aveva perso neanche una goccia di sangue, né aveva sentito dolore. Era rimasta sola a ragionarci, concludendo che lei era diversa dalle altre, più aperta, più adulta, già pronta. Non ne aveva parlato con nessuno. Solo dopo molto tempo aveva saputo che perdere sangue non è obbligatorio.

I collegamenti: il sogno, il bambino, il viaggio, il fratello, il libro del padre, la fanno rabbrividire, pulsano, si connettono, invitano a percorrere il sentiero, a entrare nel bosco scuro. Il girino la richiama al futuro procurandole una nausea insopportabile. Anche lui è nel buio, forse partecipa del suo travaglio, ne è informato in modo cieco, inconsapevole, teme la verità, non vuole intralci all'esistenza per cui lotta e si dà già da fare.

Le associazioni però, caro girino, vanno avanti da sole, impossibile fermarle. È buio pesto nel bosco, come nella stanza del sogno. Si deve accendere la luce, ma è sul comodino del padre e lui è morto. Che lui abbia scritto un libro su una passione per un'adolescente non vuol dire nulla. Anzi, giustifica in qualche modo il sogno, che rimarrebbe solo un sogno, la rappresentazione di un problema del padre, intuito, presagito. Un problema molto comune, come dice Daniele con leggerezza. Eppure il sogno ha ricalcato la realtà di una sera in cui ha effettivamente dormito con lui. Dormire con il padre è già così strano. Il sogno illumina le zone oscure di una cosa accaduta, anche se alla fine tutto torna nel buio, niente è più sicuro. Forse, se fosse stata una cosa vissuta realmente e non semplicemente un sogno, sarebbe diventata pazza, ferita a morte, traviata. Da qualche parte la verità sarebbe uscita. O forse no, proprio questo è il punto, ci si può convivere normalmente, seminarne frammenti incomprensibili qua e là, trovare un accomodamento interno.

Sabina non vuole perdere la normalità, per questo esita a seguire i collegamenti. Non vuole appartenere a una razza inferiore, essere assimilata a una notizia su un giornale. Medici che si occupano di lei, assistenti sociali, psicoanalisti. E la schiava mulatta, chi si è occupato di lei? Dei milioni di bambine che hanno poi vissuto normalmente, si sono sposate, hanno fatto figli? Lei si sente una donna normale, un sogno ha trasferito nella sua storia una scena presa da un film dell'orrore, staccata dal contesto, come quelle che doppia. Bisogna tagliarla e infilarla di nuovo nel film giusto. Il girino reclama il silenzio.

Ma almeno non si deve mentire sul sesso e farla lunga, poeticizzarlo, infiocchettarlo. Il sesso è quello che è, Franco lo deve sapere, questo vorrebbe Sabina, che si dicesse la verità su tutti, la schiava quattordicenne di Jefferson, gli stupri, il marito di Maria: se il pene di un uomo può rizzarsi davanti a una ragazzina perché è inerme, per via del suo sguardo incredulo soprattutto (non sa quello che le sta succedendo, se lo chiede, cerca di immaginare senza arrivarci, non ci sono precedenti nella memoria), e questo sguardo inconsapevole è la ragione stessa dell'eccitazione, allora qualcosa di questo deve appartenere a tutti gli esseri umani, a ogni rapporto erotico, anche al più normale. Fra quello che siamo veramente e la cultura c'è un abisso. La nostra mente è andata millenni avanti, ma non ha saputo trascinare con sé il nostro corpo. Non scandalizzate i bambini, diceva Gesù, ma lui era millenni avanti al suo tempo, anche al nostro.

"Un soldo per i tuoi pensieri."

Daniele entra sorridendo nella stanza con un fascio di buste e carte. A Sabina sembra di essere andata millenni avanti, vorrebbe trascinarlo con sé per non sentirsi sola.

"Davvero avresti voglia di conoscerli?"

Daniele si siede alla scrivania, sorseggia il tè, sfoglia rapidamente le buste.

"Sì, non dovrei? Sono brutti pensieri?"

"Forse te li dirò un giorno, quando sarai meno distratto dalla posta."

Lui la guarda, le sorride.

"Sono stata colpita dalla storia del libro di papà, ma non credo che lo leggerò se mi dici che non vale molto da un punto di vista letterario. E non mi piace associare papà a un argomento del genere."

Daniele le indica la libreria.

"È lì, nel terzo scaffale. No, non vale la pena che tu lo legga. La cosa interessante è come parla dei luoghi della scuola. Sentiva una passione quasi erotica per le aule, le giacche appese nei corridoi, il gesso... sono forse le parti più interessanti del libro."

"Anche tu senti una passione erotica per l'università."

Daniele la fissa di colpo serio.

"Se vuoi dire che amo questo posto, sì. Se vuoi chiedermi se ho mai sedotto una studentessa, categoricamente no. Detesto il tipo di professore che usa il potere per fare cose di questo genere. Mi piacciono i rapporti alla pari. E poi sono molto innamorato di Anne."

Sabina sente una stretta al cuore, le sembra così puro il fratello.

"Fai bene, anch'io mi sono innamorata di lei. È calda, dolce e razionale insieme, mi piace molto. Non dobbiamo fare tardi, devo aiutarla per la festa."

"Sei già stanca di stare sola con me? Lo so, ho pochi argomenti interessanti se usciamo dall'antichità."

Sabina lo guarda, gli sorride.

"Allora dimmi una cosa, cos'è il sogno nell'antichità?"

"Il sogno nell'antichità?"

Lo sguardo di Daniele diventa all'improvviso esaltato, assente, sembra vagare nelle strade di un mondo molto più affascinante di questo. Un mondo simbolico e brutale come quello delle favole. Lì le cose avvengono, si dicono, ci si batte per affermarle. Sabina lo ama per quello sguardo.

"Una premonizione, ma anche uno sviamento. Tutt'e due le cose. Gli dèi inviano sogni per far capire o confondere. Ad Agamennone Zeus invia il sogno ingannevole che è giunta l'ora di espugnare Troia, e invece non è vero. Clitennestra sogna che un serpente le succhia sangue dal seno ed è una premonizione della morte che le darà il figlio Oreste. Si sogna anche nella Bibbia. Giacobbe sogna una scala che sale dalla terra al cielo. E l'angelo rivela in sogno a Giuseppe che Maria aspetta un bambino. Ovviamente ce ne sono molti altri, libri interi se ne occupano."

"Aspetto un bambino, Daniele."

Il fratello si alza di scatto, un impeto goffo che spezza la sua flemma.

"Sabina, che bella notizia!"

Sabina non sa perché le sia uscito così all'improvviso. Forse è stato il girino, ha comunicato al fratello la sua esistenza per sentirsi al sicuro da ogni ripensamento. Daniele l'abbraccia come non ha saputo fare al suo arrivo e lei si mette a singhiozzare sulla sua spalla.

"Perché piangi, sei contenta, no? E Franco?"

"Non lo sa ancora. Ero venuta per dirti una cosa, per chiederti cose di cui non mi ricordo più. Papà, mamma, la nostra vita con loro, volevo parlartene. Ho fatto un sogno orrendo, Daniele. Non so cos'è, cosa significa."

Daniele le scosta il viso dalla spalla, lo prende fra le mani, lo esamina come le controllava il ginocchio quando cadeva da bambina.

"Sabina, ascoltami, la famiglia in cui si nasce è fatta per disperdersi e noi dobbiamo costruirne un'altra, nostra. O non costruirne nessuna, se vogliamo. Lascia dormire i morti e i sogni su di loro."

# 2.

Le pose di Anita sono finite, è stata la sua ultima scena, si sta struccando. Con la spugnetta bagnata asporta strati di fondo bianco da morta. È così che è apparsa nella maggior parte delle scene, morta nel letto, morta all'obitorio, nella bara prima che il coperchio si chiudesse sul suo viso immobile (è diventata bravissima a non respirare) e il medico colpevole si tradisse. Franco, appoggiato allo specchio, fuma una sigaretta e l'aspetta. Andranno a mangiare insieme, è l'ultima sera. È divertente vedere il colore roseo della pelle giovane di Anita spuntare dal bianco. Però forse gli piaceva più da morta, con gli occhi scuri che si aprivano all'improvviso fra un ciak e l'altro.

"Stavi bene da morta."

Lei ride, prende una sigaretta e se l'accende.

"Sei un malato anche tu?"

"Come anch'io?"

Anita prende un tocco di crema da un barattolo, inizia a stenderla sul viso. C'è un viavai di attori e truccatori che si salutano. Domani è sabato, poi ci sono due giorni di festa per la fine dell'anno, tutti sono gentili e premurosi.

"C'è molta anormalità in giro, sai."

Franco scoppia a ridere.

"Non ridere. Ho tutta una teoria su questo, te la spiegherò in un ambiente meno rumoroso. Dove andiamo a mangiare?"

"Un ristorante giapponese ti va bene come ambiente per parlare di anormalità?"

"Be', sì, i giapponesi sono dei bei depravati. Ho visto un cartone animato in cui dei ragazzi quasi violentavano una bambina, lo facevano vedere il pomeriggio, ti rendi conto? Ora l'hanno tolto. Vorrei tanto conoscere il tipo che lo ha disegnato. Però la cucina giapponese mi piace molto."

"Se è per questo i giapponesi sono abbastanza fissati anche con la morte."

Anita si alza, getta la testa in avanti, si spazzola i capelli. Franco sente di colpo un forte desiderio di rimandare l'uscita. Se Sabina fosse tornata, ora fuggirebbe da lì, passerebbe a prenderla al doppiaggio, uscirebbero a cena, a chiacchierare, non si sono mai annoiati insieme. Andrebbero un po' in giro per la città e poi a casa. Si addormenterebbero abbracciati dopo aver fatto l'amore, o subito. Si sente stanco all'idea di una conversazione con Anita. Non si conoscono abbastanza, anche se sono stati insieme a pranzo tutti i giorni, o almeno ogni volta che lei era convocata. Anita gli ha raccontato dell'ultimo ragazzo con cui è stata. Si dovevano sposare, ma lui se n'è andato da un giorno all'altro senza spiegazioni. Anita ci ha imbastito su un sacco di teorie sull'amore, sulla paura che gli uomini hanno dei sentimenti, anche sull'anormalità dilagante, questo Franco l'ha scoperto ora. Sabina invece era poco esplicita sugli argomenti di cuore. Era riservata, non credeva che le parole potessero chiarire niente di importante sull'amore. Ma nell'ultimo periodo era cambiata.

"Mi tolgo questa camicia da notte, mi fa schifo, mi vesto e usciamo. Dove ci vediamo?"

"Passo dal regista, mi vuole parlare. Chi finisce prima aspetta al bar."

"Che tresca avete voi due? Quello non fa più niente se prima non parla con te."

"Sono la sua coscienza."


Davanti alla porta del regista si accalca tanta gente. L'aiutoregista vede Franco, gli va incontro.

"Meno male! Oggi non si sopporta: dobbiamo fare il piano della settimana prossima, convocare gli attori, cambiare la scenografia e lui non vuole vedere nessuno, fuma e sta zitto. Secondo me questa volta lo sostituiscono, ha anche due giorni di ritardo. In televisione, ti rendi conto, dove non sfora nemmeno il più cretino! Di registi se ne trovano dietro ogni angolo di teatro. Parlaci e convincilo a darmi indicazioni, se no me ne vado."

Il regista è seduto alla scrivania, davanti a delle fotografie, fuma. La stanza è bianca di fumo fermo, Franco apre uno spiraglio della finestra.

"Franco, sono molto agitato, devo parlarti."

Il regista si è voltato verso di lui, è gonfio, pallido. Deve aver ricominciato a mangiare troppo oltre che a fumare.

"Hai ripreso a fumare come prima?"

Il regista lo guarda con occhi vacui, interrogativi.

"Che importanza può avere il fumo, Franco, non lo capisci? Proprio tu che mi hai illuminato non lo comprendi?"

Franco si siede, trattiene una risata. In fondo quel tipo gli fa pena. Grazie a lui ora guadagna regolarmente e la mattina si alza anche di buonumore. Il regista invece è sprofondato in una terribile depressione. Dopo ogni ciak chiama Franco, gli fa vedere l'inquadratura sul monitor, vuole un suo giudizio sulla recitazione. Durante la pausa si fa recitare pezzi di teatro, si commuove facilmente e va in bagno a soffiarsi il naso con la carta igienica (oppure a fare altro, Franco non l'ha capito). Ha preso a odiare tutti i collaboratori che gli fanno domande pratiche. Vuole teorizzare, parlare di grandi film, recitare poesie. La sua è una vera crisi esistenziale.

"Che sono quelle foto?"

"Un film che mi piaceva tanto quando ero solo un ragazzo di provincia, stamattina volevo appenderle dietro la scrivania. Ma non ce la faccio: se le guardo mi vergogno troppo. Guardale tu."

Il regista gli tende le foto. Lui le scorre.

"*Otto e 1/2*?"

Franco alza lo sguardo sul regista. Gli occhi sono lucidi, Franco si chiede di nuovo se non abbia fatto qualcos'altro oltre che mangiare e fumare troppo.

"Lo conosco a memoria, diciamo che ho scelto questo lavoro dopo averlo visto. Lo sai qual era il mio pezzo preferito?"

Franco ascolta e comincia essere preoccupato per come oggi lui la stia prendendo alla lontana, si chiede come farà ad avvertire Anita che l'aspetta al bar.

"Il sogno di Marcello, prima di svegliarsi tutto vestito sul letto, in mezzo alle fotografie del film che non ha più voglia di fare. Te lo ricordi? Nessun regista ha saputo raccontare i sogni come Fellini, nessuno. La macchina in soggettiva, i genitori che escono calmi calmi dalle tombe. La madre con la veletta si asciuga le lacrime come un'attrice del muto; il padre rassegnato, con la pancia, tutto elegante, con il vestito con cui l'hanno probabilmente chiuso nella cassa, così paterno, così preoccupato per il suo futuro, il bambino con la cappa svolazzante che corre sulla spiaggia. La macchina da presa respira con il dormiente, la sua mente è come il cappello a cilindro di un prestigiatore da cui vengono fuori le immagini più fantastiche e più reali che siano mai state inventate. La prima volta l'ho visto a Padova, in un cinema d'essai. Sono stato folgorato, non esiste un altro mezzo che permetta una libertà simile, mi sono detto, la possibilità di capire il passato, il futuro, i desideri, la realtà, il sonno e la veglia, tutto mischiato, aggrovigliato, come siamo, come vorremmo essere! Altro che letteratura, pensavo, il cinema, il cinema! Tante cose si possono rappresentare in una stessa inquadratura, così contraddittorio è il cinema, come la nostra vita!"

"Sì, un bellissimo film. E allora perché non le hai appese dietro la scrivania se ti piacciono tanto?"

Il regista accende una sigaretta con il mozzicone di quella appena fumata.

"Me lo chiedi? Lui non voleva più fare il film che stava per fare, io non voglio più fare il regista! Il più grande cinema del mondo ha prodotto questi set miserabili, questi uomini miserabili come me! Questi copioni! Perché? Cos'è successo?"

Franco lancia un'occhiata all'orologio, si accende una sigaretta.

"Intanto tipi come Fellini non nascono tutti i giorni."

"Sì, questa è la scusa che mi sono raccontato ogni mattina, prima di incontrarti. Ho un talento mediocre, questo è un mestiere, si può fare in tanti modi diversi. Stronzate! Grandissime stronzate! Cose che dicono i critici conformisti perché non capiscono un cazzo! Noi abbiamo disperso al vento il nostro talento, le nostre enormi capacità, la cultura, la fantasia, ci siamo venduti per un piatto di schifose lenticchie in scatola! Ci siamo venduti perché siamo incapaci di riconoscerci, di apprezzarci, di difenderci. Abbiamo condannato il nostro paese, noi stessi, le generazioni che verranno dopo di noi all'ignoranza, alla volgarità! A cosa ci è servita tutta questa genialità, me lo sai dire?"

Il regista ha preso in mano le fotografie urlando, le lancia in aria e ora ricadono sul pavimento della stanza con un suono triste da foglie autunnali. Il viso di Marcello, quello della Cardinale, la Saraghina, Anouk Aimée, sul pavimento sporco della stanza. Franco si alza, le raccoglie, le appoggia sulla scrivania, si risiede con calma di fronte a lui.

"Ora mi ascolti. Quando sono venuto da te quel giorno ero un uomo noioso, depresso, lamentoso. Mi lamentavo per la mia vita, per il fatto che non lavoravo, che non si produce niente di buono, che abbiamo gettato tutto in merda, come dici tu. Mi lamentavo soprattutto con la mia compagna. Anche lei è un'attrice, doppia telefilm americani. Ma lei ha un altro modo di reagire, diciamo più pragmatico: cerca di trovare il buono nelle cose che fa, di farle bene. Ho accettato questo lavoro per fame, te lo confesso. Ma la mia vita, da quando ho cominciato a lavorare con te, è cambiata. Continuo a pensare quello che pensavo prima, quello che pensi tu, ma lo faccio stando dentro, non più fuori. O si recita o non si è attori. La mia è l'unica professione che non si può raccontare. Faccio il giornalista, scrivo su questo giornale; il calzolaio, ho riparato queste scarpe. Faccio l'attore, vieni a vedermi. Posso solo presentare me stesso. Per quanto sia difficile, devo recitare, se no non esisto. Questo vale pure per te. Uno scrittore può anche scrivere libri e pensare che glieli pubblicheranno dopo la sua morte. Il regista o gira film o non esiste. Per questo adesso tu guardi il programma della settimana, dai l'ok ai cambiamenti della scenografia e vai a casa a festeggiare con tua moglie la fine di questo anno. Il prossimo deciderai se mangiare pane e cipolle o continuare a girare questa roba."

Il regista sospira, spegne la sigaretta.

"Va bene, però mi porti a cena con te. Stasera non ce la faccio a tornare a casa."

"Non sono solo."

"La tua compagna, l'attrice?"

"Un'attrice, ma non lei, Anita."

Il regista lo fissa incredulo.

"La morta?"

"Ci siamo conosciuti tempo fa a teatro, era una bambina."

"Vengo e sto zitto, non dico neanche una parola, te lo giuro."


Le luci sono basse, l'arredamento bianco e nero. Il piano di marmo gira davanti ai loro occhi offrendo piattini colorati con cibi enigmatici, bianchi e neri, rosa, verdi, giapponesi. Alcuni hanno un coperchietto di plastica, altri no. Ogni piattino contiene tre di qualcosa, si svuotano in fretta, si accumulano uno sopra l'altro. La pila del regista è la più alta e pende da un lato. Non ha detto una parola, come aveva promesso, sceglie piattini, li svuota, li aggiunge alla pila, beve un sorso di birra, ricomincia. Anita e Franco hanno parlato, ma la conversazione è stentata. Il silenzio del regista pesa. Sono abituati a sentirlo sbraitare sul set, spiegare loro cosa devono dire, in che modo, fino a quale battuta, cosa stanno pensando mentre si scambiano quelle frasi, come si devono muovere. Azione, stop. Ora tace, come avesse rinunciato a dirigerli e avesse chiesto loro di improvvisare. Così Anita e Franco parlano tra loro, cercano di ignorarlo.

"Non mi hai detto niente delle tue teorie sull'anormalità."

Anita è attratta dalla sistematicità con cui il regista fa fuori i piattini.

"Già. Be', sai, è stato dopo che lui se n'è andato che mi sono venuti questi pensieri e ho notato molte cose che prima mi parevano normali. Nella moda per esempio, nell'arredamento, o in certe pubblicità, le modelle sono spesso bianche e pallide com'ero io nel film."

Anita lancia un'occhiata timorosa al regista.

"Tipo ragazze morte, anoressiche, che si aggirano in appartamenti tutti bianchi. Sono magre, senza seno, senza fianchi, diafane. Le case sembrano cappelle funerarie. E poi vedi i giornali pornografici: tette clamorose, fianchi, culi giganteschi, uomini e donne che fanno cose schifose, molto carnali. Allora ti chiedi veramente come dev'essere una donna per piacere a un uomo. Tu come sei, ti chiedi, rispetto a queste donne? Certo, puoi dirti: io sono una donna normale. Ma che cosa significa 'normale'? Dal parrucchiere guardi le riviste di moda, cerchi di ispirarti. Davanti all'edicola, comprando il giornale, lanci sguardi increduli alle copertine delle riviste pornografiche. Se stanno lì vuol dire che qualcuno ci fantastica su. Fantasie di morte, fantasie bestiali. Forse era questo che non vedeva in me."

Franco ride.

"Così tu pensi che se ne sia andato perché non gli suscitavi fantasie bestiali?"

Anita si infila un gambero in bocca e parla masticando:

"Sì, in un certo senso".

"E tu, la sentivi la bestia in lui?"

"A dirti la verità, no. Ho capito anche questo quando se n'è andato. Eppure ne ho sofferto per molto tempo. Ci capivamo al volo, sai. Ci somigliavamo, avevamo gli stessi gusti in fatto di viaggi, ci piacevano gli stessi film, volevamo tutti e due una bambina come primo figlio, ci piaceva molto anche baciarci per strada. Queste cose te le ho dette. Ma non c'era quella cosa fra di noi, e lui se n'è andato. È stato coraggioso, magari io me ne sarei accorta dopo qualche anno, alle donne succede quando diminuisce il sentimento romantico, materno."

Franco ride, ma pensa preoccupato a Sabina. Forse il problema è questo. Quante volte ha avuto il sospetto che a lei non piacesse come a lui fare l'amore insieme, e poi negli ultimi tempi si era rifiutata di farlo. Forse si era accorta che tra loro non c'era la bestia, come il ragazzo di Anita, e per questo era partita.

"In che senso 'quando diminuisce il sentimento materno'?"

"Be', le donne si innamorano anche con la loro parte materna e d'altro canto all'uomo fa piacere essere un po' accudito. Così spesso la donna si accorge di non essere felice sul piano fisico quando non le basta più la felicità di dare e vuole qualcosa in cambio."

Il regista si è acceso una sigaretta, fuma in silenzio.

"Dimmi una cosa, Anita, non per adularmi, parla sinceramente."

"Va bene. Oddio, sto scoppiando, non ne posso più."

Anita guarda la pila ferma del regista, si asciuga la bocca.

"Avanti, chiedimi quello che vuoi."

"In me la vedi la bestia?"

Lei scoppia a ridere, un riso da bambina.

"Non ridere, dimmi la verità, è importante."

Il regista lancia un'occhiata a Franco, poi riprende a guardare nel vuoto.

"Prima di tutto dipende da chi hai davanti. La bestia c'è fra due determinate persone, può non esserci con me e con un'altra sì."

"Dimmi per te, mi interessa."

Anita arrossisce, si sistema i capelli biondi sottili dietro l'orecchio.

"Be', direi una bestia particolare forse. Ti ho conosciuto quando ero bambina. Facevamo tutte le sere quella scena insieme, l'inizio di *Doppio sogno*. Tu eri mio padre, finivi di raccontarmi la favola sul divano. Da un lato c'eri tu, dall'altro l'attrice che faceva mia madre. Te la ricordi? Era molto bella, bruna, bianca di pelle, magra. Mi dicevi di andare a letto. 'Buonanotte mamma, buonanotte papà.' Era la mia unica battuta. E poi ti baciavo, così."

Anita dà un bacio improvviso sulla guancia di Franco, ride turbata, sbircia il regista che continua a stare zitto.

"Guarda che non l'avevo letto il racconto, ero piccola, non sapevo che quella notte vi sareste traditi, nella realtà e nel sogno. Eppure sentivo una cosa strana, volevo restare lì con te a controllarti, non volevo uscire di scena, dovevo impedirti di recitare il seguito con lei. Una volta, dopo la rappresentazione, ho sognato che mi portavi via con te, andavamo a vivere sulle montagne, ci nascondevamo in una grotta, tu andavi a caccia e procuravi il cibo per tutti e due. Così, quando ti ho rincontrato ho sentito l'emozione che mi suscitavi da piccola. Credo che in realtà ci siano molte specie di bestie."

"Allora vuoi dire che per me senti un'attrazione quasi filiale?"

Anita ride.

"Non esagerare! Diciamo che ti ammiro, per causa tua ho cominciato a pensare che questo lavoro poteva essere il mio, anche se tu mi scoraggiavi."

Il regista lancia uno sguardo a Franco, annuisce, sospira. Franco non se ne accorge, vuole approfondire la faccenda della bestia.

"Però, scusa, se fra te e il tuo ragazzo non c'era la bestia, perché ci hai sofferto tanto?"

"Te l'ho detto: avevamo tutto in comune, tranne quello purtroppo."

Franco scuote la testa.

"Da ragazzo mi sono fatto prendere in giro perché sostenevo che il sesso come sfogo non mi interessava, che tutto viene dalla mente, anche quello. E invece tu dici che può esserci un rapporto perfetto, di intesa totale, in cui il sesso non funziona. Non ci credo."

Anita ci pensa su, butta fuori il fumo dalla bocca, non sa bene cosa dire. Il regista fuma e tace.

"La mia compagna, Sabina, è andata in America dal fratello. In realtà eravamo in crisi prima che partisse. La bestia fra noi si è addormentata all'improvviso, senza ragione. Era una bestia dolce, mansueta, familiare, per questo per me molto attraente, diciamo il gatto di casa che ti saluta sulla porta facendo le fusa e strusciandotisi sulle gambe. Non mi piacciono le pantere, le trovo comiche, imbarazzanti, come i simboli sessuali troppo espliciti. Allo stesso modo detesto la recitazione americana da Actor's Studio. Quando resti incollato al personaggio e non ci giochi, non crei un ponte fra te e lui, un distacco. Tu non sei lui, lui non è te. Nel vuoto fra te e il personaggio, io penso ci sia la verità che può esprimere un attore. Così è con il sesso. Certo, davanti al corpo di una bella donna all'uomo viene subito il desiderio di possesso e alla donna l'idea di sottomettersi a lui. Ma poi il bello nasce dal mischiarsi delle due sensazioni, si comincia a dialogare facendolo, ci si scambiano i ruoli. Questa è la cosa interessante, e può avvenire solo fra due persone che hanno un rapporto emotivo profondo."

Il regista tossicchia. I due si voltano verso di lui.

"Cos'è, la devo rifare? Non sono stato convincente?" gli chiede Franco ironico.

Anita scoppia a ridere. Anche al regista viene da ridere, ma ha deciso di intervenire.

"Sai cos'è in matematica una condizione necessaria e sufficiente?"

Franco sospira, avrebbe fatto meglio a mandarlo a casa. Ma sa che lo ha lasciato venire con loro perché aveva paura di restare solo con Anita, paura dell'attrazione antica che sente di esercitare su di lei.

"Vagamente."

"Una condizione che è necessaria perché si determini una certa conclusione, e vera anche nell'altro senso: se c'è quella conclusione ci sarà anche quella condizione. Tu dici che con la tua ragazza fuggita in America hai un buon rapporto fisico perché c'è un intenso rapporto emotivo. Almeno così dici tu, e lei non è qui per contraddirti. Ma fra Anita e il suo ragazzo, anche lui fuggito non si sa dove, c'era un'ottima intesa emotiva, e un rapporto fisico deludente. Il che vuol dire che un buon rapporto emotivo non è condizione necessaria e sufficiente per un buon rapporto sessuale. Se c'è un forte rapporto sessuale, ci sarà probabilmente anche un forte rapporto emotivo. Ma se c'è un forte rapporto emotivo, non è detto che ci sia un forte rapporto sessuale."

Franco e Anita lo guardano interdetti e ragionano. Franco pensa a Sabina e alla sua fuga, Anita al suo matrimonio andato a monte. Il regista è soddisfatto di sé, li ha di nuovo in pugno, gli attori, le sue creature. Dove credevano di andare? Così si accende una sigaretta e continua:

"Questo sempre nell'idea romantica che si cerchi un'armonia tra i due piani, il che sinceramente mi pare un'utopia, un sogno, un dolcissimo 'doppio sogno' di Franco e Anita".

Il regista somiglia alla prima volta che Franco l'ha visto nel suo ufficio. Si credeva un padreterno perché dirigeva un gruppetto di cagnolini ammaestrati. Ma adesso lui sa come farlo entrare in crisi, lo conosce bene ora.

"Prima, nel tuo ufficio, mi parlavi del sogno nel film di Fellini. Se l'avesse raccontato a qualcuno, che intendeva girarlo in quel modo, che lo vedeva proprio così, nessuno gli avrebbe dato retta. Forse neanche sapeva come l'avrebbe realizzato, ma conosceva l'emozione che doveva trasmettere. Fellini faceva impazzire chi lavorava con lui, gli attori, il produttore, ma tutti andavano dietro al suo sogno. Tu invece non ne hai, questo è il tuo problema. Il cinema è così, caro regista nostro, se non sei capace di immaginare un sogno, vederlo nitidamente, e di credere che puoi realizzarlo, allora è meglio cambiare mestiere."

Il lungo cilindro di cenere della sigaretta del regista sta per disfarsi sul tavolo. Anita non ha staccato gli occhi dal viso di Franco. Non sa se tra loro si farà viva la bestia o meno, ma sa che le sue parole, la sua voce, le provocano un'emozione forte, come sul palcoscenico tanti anni prima. Gliel'ha data una lezione a quel pallone gonfiato! Franco mette uno dei piattini della sua torre sotto la sigaretta del regista annientato, tornato alla sua crisi.

"Credo che cambierò mestiere, Franco, e tu mi avrai sulla coscienza."

"Io *sono* la tua coscienza. Non cambierai mestiere per il semplice fatto che non sai fare altro."

Il regista lascia cadere con rabbia il cilindro di cenere nel piattino che Franco gli tende.

"Allora lascerò la televisione per sempre! Scriverò un film per il cinema, lo girerò anche gratis! Non guardatemi con quell'aria incredula, farò un film geniale, vi stupirò!"


Franco l'ha portata a casa sua, era inevitabile, anche se si era ripromesso di non farlo. Quante volte in quelle settimane ha pensato all'autobiografia di Polanski e si è detto no, non con Anita e comunque non qui, nella nostra casa. In questo piccolo appartamento che abbiamo arredato insieme, pieno dei suoi oggetti, dei suoi vestiti. Nessun luogo di questa casa è libero di ricordi. Ci siamo abbracciati e baciati sul divano, a tavola, in cucina, nel bagno, in camera da letto. Anche davanti all'armadio, o con il frigorifero aperto. Qui non succederà. Sono un essere umano, non un animale.

Anita si è seduta in poltrona, beve un amaro. Lui un whisky. È così carina, intimidita, le gambe sottili accavallate. Franco pensa alla peluria bionda in mezzo alle cosce magre intravista nel letto da morta. Non può evitare di risentire il tocco morbido delle labbra carnose sulla sua guancia, quando gli ha augurato per scherzo la buonanotte al ristorante giapponese, come anni prima sul palcoscenico. Lei lo guarda con gli stessi occhi scuri che si aprivano smarriti fra un ciak e l'altro.

"È un vero stronzo, però."

"Se vuoi, ma questo non è così grave nel suo lavoro, i registi lo sono spesso. Sadici con gli attori, con la produzione, con gli amici. Sembrerebbe quasi una condizione, forse non sufficiente ma necessaria, un'aggressività dettata dalla paura. Sono insicuri e usano il comando per darsi sicurezza. E poi il potere sulle persone fa diventare cattivi. I vecchi registi lo diventano meno con l'età, ma più spesso muoiono perfidi come sono vissuti. Il vero problema è che lui non ha fantasia, ha una mente organizzata, la macchina qui, l'altra macchina là, il dialogo recitato correttamente. Oltre non sa andare, ma è intelligente, conosce i propri limiti, per questo ora è in crisi."

"E tu, non hai mai pensato di fare il regista?"

Come potrebbe andare a finire in un altro modo? Lei si è un po' innamorata di lui. L'attirano la differenza di età, la sua esperienza, forse altre cose che lui non vede. La deluderebbe moltissimo e deluderebbe anche se stesso. Quanto tempo è che non fa l'amore con una donna? Più di un mese. Ma sono un essere umano, non un animale. E se è lei a fare la prima mossa?

"No, non ci ho mai pensato veramente. Semmai a teatro qualche volta, perché è uno spazio più controllabile. Ma a me non piace il potere, né dire agli altri cosa devono fare. Mi piace farlo io, con l'aiuto di un altro. Nel lavoro dell'attore mi attira soprattutto il rapporto fra mente e corpo, forse per questo ho quelle idee balorde sul sesso perfetto!"

Non è stato un esempio felice, non in quel momento. Anita lo guarda e tace. Importante è invece continuare a parlare, far funzionare la parola come comunicazione tra loro, il silenzio fa passare ad altro, subito. Devono faticosamente restare nel secondo millennio.

"Il rapporto fra mente e corpo forse è un modo di dire un po' esagerato. Diciamo riuscire a centrare la relazione fra il gesto e la battuta, pochi gesti meglio, gli sguardi sono così importanti."

Non so più cosa dico. *Gli sguardi sono così importanti*, mentre lei mi guarda come una bambina piena di ammirazione, che imbecille!

"Forse in realtà non si controlla niente, non capisci niente di te, né del personaggio, è l'istinto che comanda, fai certe cose, il perché non lo sai neanche tu."

*È l'istinto che comanda*, non c'è più rimedio, si sta alzando. Anita ha lasciato il bicchiere di amaro, si siede accanto a lui sul divano.

"Franco, non giudicarmi male. Io non ho nessuno d'importante adesso, invece tu sì, lo so, non sei libero. Ma mentre parli io non riesco ad ascoltarti, sento il suono della tua voce staccato dalle parole, vedo la tua mano intorno al bicchiere, i tuoi occhi che non ce la fanno a guardarmi e ho voglia di toccarti. O vado via subito o non credo che resisterò."

Il silenzio, il temibile silenzio è un interminabile viaggio nel tempo, annulla ogni altro linguaggio, scoperta, logica, rispetto. Sopraggiunge sempre inaspettato il bacio, lo stesso dei ragazzi, il possesso della pelle con la mano veloce che cerca di toccare tutto il corpo insieme. La pelle calda sotto il pullover. I seni piccoli da bambina, la zona tenera e bagnata in mezzo alle gambe, una fantasia realizzata. È stato così dalla prima volta che si sono rivisti, una fantasia su quella scena recitata insieme tanti anni prima. Franco sente il potere che ha su di lei, non riesce a controllare l'eccitazione, non può rifiutarsi. Lei lo vuole, lo desidera, non c'è niente di male, è un'adulta libera. Eppure è la bambina con cui ha recitato tanto tempo fa che all'improvviso gli passa davanti agli occhi, *buonanotte mamma, buonanotte papà.* E non inorridisce a quel pensiero. Cerca anzi le sue labbra, le apre e immagina come aprirà allo stesso modo la zona calda tra le gambe in cui affonda la mano. Non inorridisce, anzi. La mente si deve fermare, lasciare il passo a questa realtà molto più forte del pensiero. La bestia si è risvegliata piena di energia dopo il lungo sonno. Lungo! Un mese, un solo mese, la bestia ruggisce, basta pensieri! Sabina lascia l'appartamento all'altra attrice. Il divano si trasforma in quello del palcoscenico. I genitori raccontano alla bambina una bella favola perché dorma tranquilla e non faccia brutti sogni. C'è un'atmosfera d'incesto in questa cosa che stanno facendo (si deve chiamare amore?), Franco non può sottrarsi.

Ha sognato Sabina mentre dormiva nel letto accanto all'altra. Camminavano nella neve, la stessa che lei gli ha descritto nelle lettere, bambini muti giocavano intorno a un pupazzo che si stava sciogliendo come un gelato. Lei era bianca come la neve, il volto, le gambe, le spalle. Camminava in camicia da notte, somigliava ad Anita, ma era Sabina. Moriva di freddo, cadeva a terra, lui cercava di rialzarla, è così leggera, e invece non poteva. Il corpo pesava come un sasso, non riusciva a sollevarlo.

Si è svegliato. Anita dorme dalla sua parte, almeno quello. Si è alzato senza svegliarla. Avvolto in una coperta è andato al computer, vuole rileggere l'ultima lettera. Non si sente in colpa per il tradimento, ma per non essere riuscito a tirarla su nel sogno. Si rende conto che non sa, non ha capito la ragione per cui lei se n'è andata, perché non ha più voluto fare l'amore. Mentre aspetta che il computer si accenda, gli viene l'idea che l'intreccio della loro storia sia stato rovesciato. Prima lui l'ha tradita con Anita, poi lei se n'è andata dal fratello. Ma invece lei era partita prima del tradimento, perché? Come sapesse che sarebbe accaduto. Una cosa impossibile.

D'un tratto ricorda una mattina, forse un mese prima o di più. Si era svegliato presto, lei non era accanto a lui. L'aveva trovata davanti al computer, avvolta nella coperta come lui ora. Vedendolo entrare aveva chiuso il file in cui stava scrivendo. *Cosa scrivi? Una lettera a mio fratello.*

Franco apre il file delle lettere ricevute da Sabina, arriva all'ultima, la legge pensando alla sua calligrafia. Quando si sveglia ed esce prima di lui, Sabina gli lascia un biglietto sul letto dove ora dorme Anita.

*Amore, questa è solo per te, perdonami se ti faccio condividere con Emilia la descrizione delle mie giornate qui, è per non ripetere due volte ogni cosa che faccio. Mi manchi, ma c'è qualcosa*

135

che mi sono portata dietro dall'Italia che mi fa pensare a te ogni giorno. Un segreto, un sogno, un progetto, si può chiamare in molti modi. Te ne parlerò al mio ritorno. Avevo molta voglia di stare con Daniele. Prima di partire ho avuto la sensazione di non avere più nessuno nella mia vita, tranne te ed Emilia. Come se il passato, la mia famiglia, non fossero mai esistiti. Mi sono accorta che non ricordavo niente della mia vita con loro. Faccio fatica a parlartene, non mi è mai sembrato interessante raccontare il proprio passato a qualcuno che non lo conosce, si diventa noiosi ed egocentrici. Si finisce per commuoversi da soli perché l'altro non può capirci. Daniele è la mia ultima possibilità per rispolverare il passato. Ma lui è come me, non ama parlarne, è venuto qui per vivere nel presente. Forse, a pensarci bene, è sbagliata l'idea che gli altri non siano interessati alla nostra storia. In fondo gli scrittori non fanno altro che raccontarci la loro, e anche i registi. Ma noi siamo solo attori e dobbiamo muoverci in storie di altri (io in realtà muovo solo la voce). Sono contenta che il tuo lavoro ti diverta. Ho riso alle descrizioni delle fisime del tuo regista. I registi sono tutti pazzi! Da qui le cose dell'Italia si vedono diversamente. Gli italiani sono molto considerati, ma l'Italia è un paese di cui non hanno più sentito parlare. Se si esclude qualche vittoria all'Oscar, le domande che ti pongono risalgono sempre al Cinquecento o giù di lì.

Amore, che bambina sono stata? È questo che sto cercando di capire, credo di aver sempre nascosto a me stessa qualcosa. Mi sforzo di pensarci ma non ne cavo nulla, solo la certezza che la mia famiglia è finita in pochi anni, ognuno se n'è andato per conto suo, non è rimasto niente. La morte di mia madre, fulminante. Non parlava quasi, soffriva, si lamentava, mi teneva la mano. Le visite di mio padre erano sempre uguali, chiedeva come stava, come aveva passato la notte, taceva fino all'ora di pranzo, se ne andava. Tornava il pomeriggio e succedeva la stessa cosa. Così non si può dire che lui l'abbia abbandonata, o che non le sia stato accanto sino alla fine. Ora mi sembra che quelle visite riassumano tutta la loro vita insieme e non so come io da bambina non me ne sia accorta. Di cosa ci si accorge da bambini? Ho molta nostalgia di mia madre, le chiederei tante cose, ma forse non risponderebbe, come non ha mai risposto a se stessa. Faceva, faceva, per non pensare. Mio padre è morto due anni dopo, lo vedevo la domenica, una volta alla settimana. Lui non approvava il mio lavoro, non sapevamo cosa dirci, mi chiedeva se avevo bisogno di soldi. In *quei pranzi, per farlo parlare, gli ponevo domande sulla cultura classica. Era felice di rispondermi. Qualche volta me le preparavo prima. Facevo così anche con mio fratello. Mio padre ha avuto un tumore: è stato malato sei mesi, poi è morto. Daniele è venuto dagli Stati Uniti poco prima che morisse, così ho conosciuto Anne. È stato con lui tutte le notti, come io avevo fatto con mia madre. Siamo stati dei buoni figli, vuol dire che tra noi c'era un buon rapporto, oppure era solo senso del dovere, non lo so. Mi sembra di aver amato mia madre. La vedevo correre da una parte all'altra, sempre vestita allo stesso modo, con il bianco del gesso che le macchiava i pantaloni. Mi faceva tenerezza. Anche i ricordi che ho di mio padre, pochi, sono teneri. Quando correggeva i compiti, o mangiava la pasta con le sarde che mamma cucinava bene e le faceva i complimenti, o quando si esaltava parlando con Daniele della cultura greca. I miei ricordi sono fotografie, istantanee di alcuni attimi, ma in realtà non so nulla di loro: allo stesso modo mi sembra di non sapere nulla di me. Ho scelto di fare l'attrice perché era una cosa che mi piaceva veramente o era solo il campo più lontano dai loro interessi, dalla casa stretta che volevo abbandonare? C'era la parte fisica del nostro mestiere che mi attraeva, come mi aveva attratto la danza. Ma nel teatro e nel cinema c'era una cosa in più: riuscivo a legare un testo al mio corpo, le parole all'azione. Mi pareva di far vivere le storie che dormivano nella polvere dei libri. In casa il corpo non esisteva: mio padre era sempre seduto a leggere o a scrivere. Mia madre si muoveva per dovere, Daniele odiava lo sport. Io ero felice solo in movimento, perciò fuori di casa perché dentro non c'era spazio. Emilia dice che ero buona, brava, bella, silenziosa. Cosa significa? Dice che mi astraevo da quello che mi accadeva intorno, fingevo di non sentire quando litigavano, me ne stavo per conto mio, come non volessi l'attenzione. È uno strano comportamento, no? In genere i bambini vogliono l'attenzione su di loro, sono egocentrici. Sono così anche adesso, sai, non mi piace parlare di me, non voglio l'attenzione, ma il tuo amore sì, anche se negli ultimi tempi ti ho respinto, non ero mai tranquilla. Tutti possono avere una crisi, non credi? Devi essere paziente con me, anche se sei impaziente di carattere. Nella lettera mi chiedi la ragione per cui sono cambiata, e perché ho scelto te. Difficile spiegare queste cose. Sei un attore pure tu, non ti piacciono le spiegazioni astratte. La prima volta che siamo usciti insieme, parlando mi hai tolto delle briciole di pane dalla maglietta; un'altra volta, avevamo appena finito di fare*

*l'amore, mi hai preso la spazzola dalle mani e mi hai legato i ca-*
*pelli meglio di come avrei fatto io. Quando sistemi la casa lo fai*
*con grazia e senza intenzione. Quando ti muovi sembra che parli.*
*La maggior parte degli uomini che ho conosciuto cercano in ogni*
*modo di nascondere il proprio fisico, oppure sono solo fisici e*
*nient'altro. Ai miei occhi avevi trovato un'armonia impossibile,*
*mi sono innamorata di te subito. Hai visto che complimenti? Non*
*ti montare la testa!*

*Domani vado fuori con Daniele e la sera ci sarà la festa a ca-*
*sa, ti scriverò di nuovo dopodomani. Ti bacio sulla bocca*

*Sabina*


Franco ha letto senza pensare ad Anita, non sente dolore
né colpa per il tradimento. Continua ad avere quell'idea in testa di non aver aiutato Sabina a rialzarsi, di non aver capito
qualcosa. La storia dei suoi genitori, la lettera, gli pare di averle
afferrate solo in quel momento. Ha sempre pensato a lei come
alla sua donna, anche i suoi problemi erano questioni fra loro
due. Ora gli viene in mente Sabina bambina, lei ne ha sempre
parlato poco, lui non le ha chiesto molto. Sabina è nata donna
per Franco. Della sua vita precedente il loro incontro gli inte-
ressavano soprattutto gli amori. Lo facevano ingelosire, lo lasciavano con l'idea che lei voltasse pagina facilmente e che potesse farlo con lui. Si infuriava per la riservatezza con cui ne
parlava, come se nascondesse qualcosa o se la storia fosse stata
tanto importante che era difficile parlarne. Ma alla sua vita da
bambina non ha mai pensato. Forse perché non ha conosciuto
nessuno della sua famiglia, gli faceva piacere pensare a lei come
a un'orfanella che aveva accolto in casa. La casa era di Franco,
suo padre gliel'aveva lasciata morendo. Sabina è arrivata a lui
nuda. L'idea di un uomo e una donna che si incontrano senza
passato, soli, lo ha sempre sedotto. Franco ora si accorge di non
aver mai veramente considerato l'infanzia di nessuna donna, di
aver sempre pensato alle bambine come a delle piccole donne.
Forse perché gli uomini non conoscono quella parte materna
dell'amore, come la chiama Anita, o perché le bambine non
hanno diritto all'infanzia.

Si sente in colpa pensando a Sabina bambina, come avesse
tradito lei. Si alza, raccoglie da terra i pantaloni aggrovigliati alle mutande. I vestiti di Anita sono appallottolati sul divano,

glieli ha tolti tutti insieme. La sensazione lontana della sua eccitazione davanti al corpo nudo lo fa arrossire. Ora vorrebbe di-
stricare i vestiti, stirarli con le mani, infilarle la camicetta, le calze, la gonna, il pullover, pettinarle i capelli, lavarle e asciugarle il
viso, darle un bacio sulla guancia e riaccompagnarla a casa. Ma
forse la sera dopo la spoglierebbe da capo.

Dalla tasca dei pantaloni tira fuori il portafogli, prende la
fotografia che Sabina gli ha regalato. Quanti anni avrà? Sei, sette. Ha un gattino fra le braccia, un vestito estivo, strizza gli occhi per il sole. Prova a non guardarla come ha sempre fatto, a
non pensare che si sarebbe innamorato di lei anche a quell'età.
Vede un bambino con un gattino in braccio, non vuole farsi fo-
tografare, strizza gli occhi infastidito, vuole tornare a essere invisibile, non essere notato da nessuno.

# 3.

A guardarle camminare sottobraccio sembrano due amiche. Ma come potrebbe Emilia non appoggiarsi a Maria? All'esterno dipende in tutto dagli altri. E allora perché ha acconsentito alla passeggiata? Sabina gliel'ha proposta tante volte, e lei ha sempre rifiutato. Per la stessa ragione per cui le ha permesso di fumare in casa, l'ha invitata a pranzo, l'ha fatta tornare il giorno dopo. Ha dovuto dissertare con lei sul suo amore per le donne e Maria le ha *rimesso in ordine* i barattoli della cucina che non erano *allineati in modo razionale e utile a una cieca*. Lo ha fatto sempre citando quel film con Audrey Hepburn. La chiama anche "cieca" senza problemi. La ragione per cui le ha permesso tutto questo è che dopo la partenza di Sabina si sente sola. Maria non sa niente di lei, della sua vita, dei suoi pensieri, è invadente e prolissa, ma è sola come lei. Emilia l'ha capito dall'entusiasmo con cui ha accettato l'invito a pranzo e l'idea di tornare il giorno dopo. *Anche i malati terminali escono, figurati se una cieca può vivere chiusa in casa*, le ha detto. Così sono uscite.

"La cosa più importante è evitare le cacche di cane disseminate sui marciapiedi a intervalli irregolari. Anche chi ci vede, quando cammina, non può guardarsi attorno, deve tenere gli occhi bassi per cercare di evitarle. Del paesaggio finisce per ammirare soprattutto il marciapiede. E sono talmente tante che nessuno osa più dire a chi ci spiaccica il piede dentro che è fortunato. Viene solo un odio terribile per i padroni di cani."

"Anch'io ho un cane."

Maria le lancia uno sguardo.

"Non ho capito perché lo tieni, dato che se ne occupa tua madre e non ti serve per andarci a passeggio."

"Sara è un bassotto, mica un cane per ciechi! Semplicemente mi piacciono i bassotti e dato che, come mi ripeti in continuazione, sono *cieca*, se ne occupa mia madre."

"Chiamo solo le cose con il loro nome. Attenta, ce n'è una gigantesca e semiliquida a sinistra del tuo piede!"

Maria spinge in là Emilia con un colpetto d'anca.

"Chissà cosa gli hanno dato da mangiare."

"Non approfondiamo, per favore. Ora capisci perché non voglio uscire. Chi mi accompagna entra in agitazione e non si parla più di niente."

"Facciamo così: ti spingo leggermente quando ce n'è una, ok? Allora, per prima cosa ti devo dire, dato che non esci mai di casa, che il quartiere in cui vivi è molto cambiato."

"In che senso?"

"Prima era il quartiere dei professionisti: avvocati, ingegneri, anche insegnanti impiegati e preti, dato che il Vaticano è così vicino. Oggi è il regno della televisione: uffici di produzione, agenzie di pubblicità, ci abitano scrittori di televisione, avvocati di televisione, attori di televisione. Nei ristoranti incontri presentatori, ballerine, registi, manager, donne tutte seni e bocche. La domenica migliora un po': gli uffici sono chiusi, molti vanno fuori per il fine settimana, c'è meno gente in giro e il quartiere ritorna a essere quello che era. Qui è tutto esibito: soldi, auto, potere, sesso, successo. È interessante perché è un po' lo specchio del paese."

"In primavera, quando sposto la poltrona accanto alla finestra, sento il motore di auto potenti. Entrano a posteggiare nel cortile di casa. Gli hanno dato il permesso, ho dovuto firmare una carta condominiale. Lo trovo giusto, poveracci, fuori non ci sarà neanche un buco libero."

"Era così: ora hanno messo il posteggio a pagamento, si paga e il posto c'è. Però ci hai azzeccato: qui hanno macchine potenti, chi lavora nello spettacolo ama far ruggire il motore della propria auto."

"Dove siamo adesso?"

"In piazza del Fante. È bella questa zona, più silenziosa. Ci sono dei lavori in corso. Più in fondo c'è il mercato, sulle bancarelle si trovano pantaloni, giacconi a poco prezzo. Ti interessa qualcosa?"

"No, ho tutto quello che mi serve."

"Se lo dici tu."

"Cosa vuoi dire, mi vesto male?"

"In modo un po' antiquato. D'altra parte rifiuti di comprarti cose nuove. Non che mi piaccia molto la moda di oggi, però chi non la segue per niente dopo un po' sembra un marziano. Ci sono tante cose orribili in giro, ma i pantaloni larghi, con la vita bassa, stanno meglio di quelli stretti che si usavano prima. Ti starebbero bene."

"Perché ho i fianchi larghi?"

"Dio, come sei vulnerabile! Perché sei ampia e anche i vestiti che porti dovrebbero esserlo, secondo me."

Ampia... Sarà un complimento o un difetto?, si domanda Emilia. Ampia e ancora così giovane, non come me che sono magra e piena di rughe perché fumo troppo, pensa Maria.

"Vuoi che andiamo a vedere se c'è qualcosa di carino?"

"Vedere?"

"Vedo io e ti dico, dai! Att..."

Maria le dà un altro colpetto d'anca.

"E come faccio a sapere che mi dici la verità? Mia madre mi vuole bene, non mi comprerebbe mai una cosa che mi sta male, e poi conosce i miei gusti e io i suoi."

Maria la tira, sbuffa.

"Guarda, non so la tua, ma la mia, quando ero ragazzina e avevo un gran seno, mi comprava delle camicette bianche che sembravo una balia. Le madri vestono le figlie come bambinone. Ho cominciato a sentirmi bella quando mi sono scelta i vestiti da sola. E poi perché dovrei provare piacere a imbruttirti?"

"Non lo so, non mi fido."

"Lo sai perché non lo farei? Perché ti trovo bella, al contrario di Sabina che non ti ha mai detto niente sui vestiti che porti."

Emilia sussulta.

"Te l'ha detto lei che mi vesto male?"

"La smetti di pensare a lei come alla tua amante? Non le piacciono le donne, non ti fila. Fingi di essere perdutamente innamorata di lei come scusa per non avere altri rapporti."

Maria ha parlato ad alta voce, Emilia si chiede se qualcuno si sia voltato.

"L'amicizia può essere importante come l'amore," le sussurra.

"E lo dici a me che sull'amore ci ho messo una pietra sopra! Fra di voi c'è una bella e lunga amicizia, questo è tutto."

"Tu hai molti amici?" le chiede Emilia per provocarla.

"No, non tanti. Mia figlia ha assorbito tutte le mie energie, ora che è partita sono piuttosto sola dopo il lavoro. Mi sono regalata l'abbonamento ai concerti, giusto per ascoltare la musica, la maggioranza del pubblico è sugli ottanta. E ho anche rotto il tabù di andare al cinema da sola."

Emilia sorride e si appoggia senza volerlo al braccio di Maria.

"Il cinema! Mi piaceva tanto andare al cinema! È una delle cose che rimpiango di più. Con Sabina, tanti anni fa, andavamo spesso in un cineclub per vedere vecchi film. Volevo vederne più che potevo, riempirmi la mente per quando sarei rimasta al buio. Adoravo film come *Les enfants du paradis*, mi ero innamorata di Jean-Louis Barrault e del suo amore impossibile per la bella Garance. Nel film il mondo del teatro, quello degli artisti, è così poetico... Barrault è il mimo Baptiste, tutto vestito di bianco, e la donna lo guarda dal palco con gli occhi che le brillano. Ero pazza di lui! Un altro film su cui ho fantasticato molto era *Gertrud*, di Dreyer. Una donna fra tre uomini che alla fine rimane sola. L'attrice era affascinante, glaciale, disperata, passionale. Quelle scene nude, senza orpelli, la passione dietro l'austerità."

"Tu sei così? Austera e passionale?"

"Forse, ora che mi ci fai pensare. Certo sono il contrario dell'esibizione, così non so perché abito in questo quartiere. Le creature nascoste, discrete, mi affascinano. Ma forse è semplicemente perché, come dici tu, sono diventata cieca e mi sono rintanata in un mondo di fantasia. Comunque il cinema mi piaceva da morire, pensa che sfiga!"

"Ti ci porterò io a rivedere un vecchio film che conosci. Anche se non vedi le immagini, puoi ascoltare le voci e ricostruire la storia nella mente. Ti va? Potremmo andare a vedere questo *Gertrud* – io non l'ho visto –, oppure *Les enfants du paradis* che ho visto un miliardo di anni fa. Ci sarà l'atmosfera della sala, il sonoro che ti avvolge. Guarda che è un atto di generosità da parte mia, con il mestiere che faccio la sera ho gli occhi bolliti. Tutto il giorno al buio, con quelle scene avanti e indietro..."

"Anche Sabina aveva lo stesso problema. Non ci ho mai

pensato che potevo andare al cinema a *rivedere* uno dei miei film. Comunque non sarà facile, chi vuoi che li proietti?"

"L'Azzurro Scipioni, proprio qui vicino, un cinema d'essai, uno dei pochi rimasti. Conosco il proprietario, gli chiederò se può procurarsi i film."

"Faresti questo per me?"

"Lo farei, così la smetti di rimpiangere Sabina."

"Ma non c'è un bar in questo quartiere? Ho voglia di un cappuccino."

"Ce n'è uno un po' più avanti, ma non lo conosco. Aspetta, vado a vedere."

Maria si avvicina al bar, guarda l'insegna, le vetrine, torna indietro.

"Com'è?"

"Appena rifatto. Muri arancioni, tavolini di vetro blu, luci basse, atmosfera da nightclub, un po' come tutto il quartiere. Orribile, ma un cappuccino lo sapranno fare."


All'interno c'è anche un acquario di pesci tropicali. Di fronte, seduti a uno dei tavolini blu, un ragazzo e una ragazza. Lei ha il seno gonfiato che spunta dalla camicetta aperta, la bocca rifatta, l'abbronzatura da lampada, pantaloni a vita bassa che lasciano vedere il tanga. Anche lui è abbronzato, gli occhi nascosti dietro occhiali a specchio, fuma e discute al telefonino della carriera della ragazza. Attrice, cantante, ballerina? Con lo sfondo dell'acquario tropicale sembrano una pubblicità delle Maldive.

"Magari ci sono appena stati," sussurra Maria a Emilia.

"Perché sono così brutti se sono abbronzati e rifatti, si sono rifatti male?"

"Ma nessuna bocca è così al naturale! Neanche quelle degli africani che pure le hanno grosse. Dici che è un simbolo sessuale, intendo dire se la gonfiano perché così fanno meglio i pompini?"

Emilia arrossisce e ride.

"Ssstt, parla piano. Ma che ne so, e poi non la vedo neanche, descrivimela."

"È una boccona grossa sopra e sotto, non si chiude. La pelle sembra stia per scoppiare. Seno, sedere, bocca, tutto rifatto e teso. Anche essere morbidi è una bella cosa, no?"

144

"Non dirlo a me che sono *ampia*. Comunque credo che agli uomini piaccia questo turgore."

Emilia beve il cappuccino. Seduta si sente più sicura e Maria la fa ridere.

"Forse è per il turgore che mio marito se n'è andato con la ragazzina."

"Non fare quella voce triste, non ci pensare. Parlami ancora dei due."

"Be', lui ha un braccialetto al polso, i capelli lunghi."

"Come si portavano negli anni settanta?"

"Sì, anzi no. Sono leggermente oleosi, sembrano anche tinti e in piega, non hanno la naturalezza dei capelli lunghi degli anni settanta. Tutto è compresso, esagerato, gonfio. I seni della ragazza sono tondi come due palloncini e la camicetta trasparente li mette in mostra. Ogni tanto getta indietro la testa, accavalla le gambe e gonfia il seno."

"Si stanno facendo delle avance sessuali?"

Maria scoppia a ridere.

"Ma no! Sono proprio così, tutti i giorni, è il loro modo di essere normale."

"Pazzesco! Mi sto perdendo degli spettacoli incredibili in giro per la città! Pensa che per me il mondo è fermo all'inizio degli anni novanta."

"Già allora si vedevano segni della tendenza a vestirsi tutti come puttane e gigolo. Ma oggi i simboli sessuali sono più espliciti, calcolati. I pantaloni a vita bassa per esempio, quando ci si siede, scoprono il tanga, di fatto il sedere. Un sedere imbrigliato dal tanga, come nelle immagini pornografiche sadomaso, non so se mi capisci..."

"Dio, sono fuori del circo!"

"Un circo, questa è l'idea! In fondo era così anche in altri periodi esibizionistici come il nostro, nel Settecento per esempio. Oggi sembra che tutti vogliano dare l'idea che non ci interessi altro che il sesso. Nella realtà io credo che quei due, una volta struccati, si addormentino davanti alla televisione con il pollice in bocca." Maria sorride. "E invece a te, che sei fuori del circo, che tipo di donne piacciono? Sabina è bella, è vero."

"Sì, è bella. Ma comunque di lei non mi piace solo la bellezza. Io la rivedo da ragazzina, a scuola, quando ci siamo conosciute. E poi i viaggi, le chiacchierate, come siamo cresciute insieme. Diciamo che con lei sento un'intimità fisica e mentale.

Mi piace molto anche il fatto che consideri poco la sua bellezza, che te la faccia dimenticare. È dolce, fragile. Quando viene a casa sento il profumo di rose, lo spostamento dell'aria intorno al corpo quando si siede in poltrona o si alza. Una presenza preziosa su cui fantastico quando va via. Tu dici che è una scusa per non avere un rapporto vero. Ci ho pensato, ma sono così attraenti i rapporti veri? Non voglio alludere a te, al tuo matrimonio, a come è finito, sarebbe troppo banale. Dico in generale, ci si conosce veramente nei rapporti veri? Lo sai perché quei due sono brutti, secondo me? Hanno perso la loro individualità. Ecco, Sabina per me è un individuo donna unico, io non so perché gli uomini non si innamorino tutti di lei."

"Ha avuto parecchie storie, credo. Anche con il nostro direttore, e non è che sia il massimo."

"Me l'ha confessato proprio prima di partire. Aveva paura di restare senza lavoro."

Maria si accende una sigaretta.

"Ci sono stata anch'io e non è per questo, te l'assicuro."

Emilia sente l'astio nella voce e se ne chiede la ragione.

"Vuoi sapere perché lo dico? Agli uomini piacerà il turgore, ma alle donne piace il potere, anche quello banale di un direttore di doppiaggio. Sabina e io siamo venti volte migliori di quel tipo, però ci siamo andate a letto. Bisogna riuscire a vedere le due facce della medaglia."

Emilia tace, ci pensa su. Maria guarda la bocca sottile, le mani bianche, gli occhi trasparenti, malinconici. Gli occhi seguono qualche volta i movimenti così non si capisce subito che Emilia è cieca. Un riflesso condizionato che viene da prima, quando si univano automaticamente al gesto. All'improvviso guardandola Maria pensa a un ritratto di Matisse. Viso bianco, capelli neri, mani affusolate di una signora antica, seduta accanto a una finestra, sempre la stessa poltrona, la stessa finestra, eppure del mondo sa più degli altri. Maria è gelosa delle frasi d'amore rivolte a Sabina. *Un individuo donna unico*, nessuno gliel'ha mai detto.

Emilia annuisce prima di parlare.

"Sì, hai ragione, bisogna vedere le due facce della medaglia. Le donne sono fondamentalmente insicure delle loro capacità, pensano che senza appoggio non ce la faranno. Anche se non è vero. Queste cose ci mettono molti secoli a cambiare, non trovi?"

Maria schiaccia la cicca in un posacenere a forma di pesce.

"Sì, ci mettono molti secoli, capiamo tutto e facciamo sempre le stesse cose. Perché ci sono andata a letto? Ci ho pensato tanto quando mio marito se n'è andato con la ragazzina. Da dove ci viene questo senso di vergogna di noi stesse per cui accettiamo l'idea di farci sedurre da un uomo mediocre, anche brutto, che ha un piccolissimo potere? Io francamente sentivo il desiderio di stargli sotto, in senso fisico e spirituale. Mi comprendi? La sera in cui mi preparavo a tradire mio marito, che fra parentesi era cento volte più attraente, credo di aver pensato: quando gli starò sotto lui si accorgerà di me, di quanto mi desidera, in quel momento non potrà fare a meno di me, ucciderebbe qualcuno pur di avermi! Ti rendi conto? Parlo, parlo, mi pare di sapere tutto, so fare quasi tutto a dire la verità, e poi, solo per avere in pugno un coglione per qualche attimo, per vedergli la resa nello sguardo, sono pronta a farmi penetrare!"

Il tono di voce di Maria è cresciuto. Emilia si augura che i due delle Maldive siano occupati a pianificare le loro carriere.

"E dopo lui giace sopra di te, lo guardi e ti auguri che non riapra mai più gli occhi, muoia o si volatilizzi all'improvviso; lui invece si alza senza guardarti, va a lavarsi e pensa: ma quando se ne va questa, purché non voglia parlarne!" Maria tace, poi alza lo sguardo su di lei: "Come mi giudichi?".

"Non so se sia per tenerlo in pugno. Io penso che sia perché hai un bisogno eccessivo di sguardi, di essere amata. Credi che fare l'amore sia l'unico modo in cui si stabilisce un contatto profondo con un uomo, lui finalmente ti accetterà perché dal tuo corpo dipende il suo piacere. Prima mi hai descritto un'elemosina, hai chiesto a quell'uomo un'elemosina senza averne bisogno."

Maria la guarda e si chiede come faccia a saperlo lei.

"Sei mai stata con un uomo?"

"No, non proprio, ma ci ho fantasticato su, e poi tra donne non è sempre tanto diverso. Sì, però in fondo lo è. Mi viene in mente una battuta di un amico ebreo, un ragazzo che si è sposato e vive in Inghilterra. Una volta gli ho chiesto perché anche gli ebrei laici, non credenti, sposano quasi sempre una donna ebrea. Lui mi ha risposto che probabilmente è per non sentirsi rimproverare, durante una banale litigata coniugale, di non essere altro che un brutto sporco ebreo!"

Maria ride.

"Terribile!"

"Ecco, diciamo che fra donne non ti puoi mai arrabbiare perché l'altro è un uomo e dunque per definizione uno stronzo, non puoi ricorrere a questi mezzucci. Devi incazzarti con la persona del tuo stesso sesso che hai davanti. Questo da un certo punto di vista rende le cose più interessanti secondo me, meno banali. Ma è anche il suo limite. Non puoi sfuggire alla banalità senza sentirti una rarità ininfluente. Metti i bambini, per esempio. Un uomo e una donna possono procreare. A te è rimasta una figlia quando tuo marito se n'è andato con la ragazzina. A me il ricordo di un profumo di rose."

"Sabina ti manca molto?"

"Abbastanza. Anche se era solo un'amica, come dici tu. Ma io l'amo davvero, sai. E sono fedele per natura. Però ti voglio dire una cosa: con Sabina, non so perché, ero sempre io a dover fare la parte della cinica. Con te mi sento più tranquilla, so che dirai delle cose eccessive e che io potrò essere mite e saggia."

Maria rimette nel pacchetto la sigaretta che stava per accendersi. L'attaccamento sconsiderato di Emilia per Sabina la rende nervosa, è un amore privo di senso della realtà.

"Che ne dici se ce ne andiamo da qui?, tra un poco quei due tirano fuori la crema solare e il costume da bagno."

"Sì, andiamo."


"Te lo ricordi quel pezzo del libro?"

"Quale libro?"

Emilia ha accettato di sedersi al posto di Sabina e di farsi preparare la pasta da Maria. Capovolgimenti, capovolgimenti.

"*Il viaggio di Carla.* Ora mi viene in mente il pezzo in cui lei fa l'amore con l'uomo incontrato in albergo. La sua fantasia di essere un corpo inanimato abbandonato su una spiaggia, e dal mare è uscito quell'essere arcaico e gocciolante di acqua salata che la sta scopando. Mi è venuto in mente dopo i discorsi che abbiamo fatto al bar."

"Me lo ricordo molto bene perché è il capitolo che ho raccontato a Sabina durante la sua ultima visita."

Che palle, pensa Maria. Mangiamo e me ne vado.

"In fondo è un accoppiamento fra due esseri completamente diversi, se ci pensi, come se un pesce stesse facendo l'amore diciamo con una cerva. Infatti il pesce la lecca tutta per sapere cosa sia e la cerva si fa fare. E poi piano piano prova quasi un sentimento materno per il pesce, ha voglia di stringersi a lui, di scaldarlo, e lo bacia. Di fatto è lì che gli cede, che si trasformano in due esseri umani. Secondo me c'è una grande componente di sentimento materno nell'amore della donna per l'uomo. Quando ero ancora sposata, certe volte guardavo mio marito addormentato come mi succedeva di fissare mia figlia. Sentivo una grande tenerezza, mi veniva voglia di svegliarlo. Dopo, ripensandoci, odiavo la mia abnegazione. Al bar, quando mi hai detto dell'elemosina, ho sentito che era una cosa vera, sai."

"Non ti sei offesa?"

"No, ma mi sono vergognata, avrei voluto non chiederla. In fondo però il problema è capire perché ti sembra sempre di aver bisogno di mendicare. Come se ti vergognassi di qualcosa o dovessi farti perdonare una deformità. Non lo so. Anche tra donne può essere così? Metti il parmigiano nella pasta?"

Emilia sente di nuovo il profumo di Maria quando le passa accanto per aprire il frigorifero.

"Sì, a tutt'e due le domande. Comunque è più un'ipotesi, non ho molta esperienza neanche in questo campo purtroppo."

"Ti servo la pasta?"

"Sì, ma non troppa, non vorrei diventare più *ampia* di quello che sono."

Maria la serve, aggiunge il parmigiano. Le vengono in mente i piatti di pasta che preparava alla figlia.

"Mi piace molto occuparmi degli altri fisicamente. Per questo adoro i neonati. Avrei dovuto fare più figli. Te l'ho detto che quando vado in pensione voglio aprire con un'amica un negozio di vestiti per neonati?"

"No, mai."

"Forse l'avevo raccontato a Sabina." Maria si siede sbuffando. "Non riusciamo a parlare senza nominarla!"

"L'hai nominata tu questa volta!"

Emilia prende un pezzo di pane, assaggia la pasta.

"Buona, sei bravissima. Perché mi hai detto che non sai cucinare?"

"Modestia, un tratto del mio carattere in linea con il bisogno di elemosine."

"Cosa fai domani sera, per la fine dell'anno?"

"Vado a una festa da un'amica. A Capodanno organizza

sempre la solita festa. Non è mai tanto divertente, ma aspettiamo la mezzanotte insieme. E tu?"

"Mia madre viene a cena qui. Se ci va, dopo andiamo da certi miei cugini. Allora vuoi veramente aprire un negozio di vestiti per bambini?"

"Sì, in Italia non ce ne sono tanti. Credo di essere davvero brava con i neonati, sai. Per molti è difficile capirli. A me invece pare facilissimo. Riesco a indovinare se hanno fame, sonno o mal di pancia. Li tengo in braccio senza serrarli troppo ma facendoli sentire protetti. Mi mettono addosso una calma e una tale felicità... Mio marito si annoiava con Carolina quando era piccola. Per me invece è stato un periodo di completa gioia. Lui aveva bisogno di parlarci, a me bastava tenerla in braccio. Non vedo l'ora che mia figlia faccia un bambino."

"Vuoi diventare nonna? Ma sei troppo giovane!"

Troppo giovane, è così che mi pensa, che meraviglia!

"Non sono troppo giovane. Quanti anni mi dai?"

"So che ne hai cinquanta perché me l'hai detto, ma dalla voce credevo di meno."

"Per fortuna non puoi vedere le occhiaie, il colorito verdastro da sigaretta, le rughe. Ma la cosa più terribile è la bocca amara che va giù ai lati. Non posso guardarla nello specchio. Gli occhi sono ancora vivaci, ma detesto la mia bocca. Vorrei essere sempre piena di gioia per non dare ragione a quella piega amara, vorrei ridere, anche se ridendo si accentuano le rughe. Chi se ne frega delle rughe, ma la bocca amara non la reggo!"

Emilia si è fermata con un boccone a mezz'aria.

"L'età è un vero problema per te."

"Per tutti quelli che non sono più giovani, cara. Per te è ancora presto."

"Vuoi sapere come ti vedo io? Ti interessa?"

"Certo. Sabina non ti aveva detto niente?"

"Niente, non mi aveva mai parlato di te. Per me tu sei una giovane donna bruna, mediterranea. I capelli spessi e ondulati li porti sulle spalle. Hai un profumo di limone, grandi mani abili, occhi scuri che strizzi ogni volta che aspiri il fumo della sigaretta. Sei brusca nei movimenti, ma se fai un gesto lento è dolce e forte. Sì, sei materna, ora lo so, ma lo immaginavo anche prima. Per questo ti ho permesso di fare a casa mia cose che fa solo mia madre. Hai la bocca carnosa, un po' come quella di Sabina. Ecco, è curioso, sei diversa da lei, eppure qualche volta mi pare

150

che in te ci sia qualcosa di lei, ho fatto una specie di fusione tra due donne. Ma tu sei più forte, più ironica e mi proteggi, non vuoi che io soffra per amore com'è successo a te. Mi vuoi portare al cinema, ti piace occuparti di me. E poi non sto sempre con la preoccupazione che vuoi andare da Franco. Posso anche desiderare io che tu te ne vada. Sabina, quando glielo chiedevo, mi faceva la grazia di restare ancora un po'. Mi sono sentita subito libera con te, forse perché mi hai detto che ti avrebbe pagato per venirmi a trovare. Hai un corpo magro e un bel seno, anche se non così grosso come quando tua madre ti comprava le camicette bianche."

Emilia arrossisce dicendolo come se le avesse fatto una dichiarazione.

"Però sono innamorata di Sabina, non ti preoccupare, puoi stare tranquilla."

Maria è ammutolita, fissa la mano bianca di Emilia accanto al bicchiere, la pelle giovane della mano. Poi guarda la sua, dalle mani l'età è inconfutabile. Il palmo invece è ancora abbastanza liscio.

"Ho un corpo magro, sì. Sono sempre stata magra, e anche ben fatta. Ma ora che il mio viso ha preso quella piega amara seguendo l'indicazione della bocca, gli uomini non mi guardano più per strada. A volte ho pensato che dovrei girare nuda per farmi notare."

Emilia la interrompe.

"Perché devi farti notare da tutti?, meglio solo da chi ti guarda a lungo e ti scopre."

Questa volta è Maria ad arrossire.

"Sì, hai ragione, niente elemosine. Mi piace il sole, anche lì ci hai azzeccato, divento subito nera come quei due al bar."

Tacciono, hanno le guance rosse. Nel silenzio mangiano senza fare rumore come due ragazze beneducate. Anche il tintinnare leggero della forchetta nel piatto è da evitare, può essere il segnale di un inizio. Ingoiano i bocconi senza parlare. La mano di Emilia sbriciola un pezzo di pane. Maria non riesce a evitare di guardarla e se guarda la mano bianca le viene voglia di toccarla, come se gli occhi non le bastassero più. All'improvviso lo fa senza rendersene conto, pensando vagamente che è irreale che sia stata lei a prendere l'iniziativa quando è a Emilia che piacciono le donne. Dalla mano il pezzo di pane cade sul tavolo.

Tradire Sabina. Non ha senso perché non sono mai state insieme. Però è quello che le sembra di fare ora, mentre Maria le accarezza la mano. Maria, non l'ha mai vista, non potrà mai sapere com'è, come la vedono gli altri. È così importante vedere l'altro? È la prima volta che Emilia se lo chiede, avrebbe bisogno di saperlo. Fuori tutti vedono tutto, non fanno altro che guardare, farsi guardare, così le ha detto Maria. Questa piega, la lunghezza eccessiva del mignolo, la vena che batte sul dorso della mano magra, lei li metterà insieme nella mente pezzo dopo pezzo, costruirà una mano di Maria che è solo sua. Che importanza può avere allora vederla come la vedono gli altri! Chi riesce a vedere qualcosa che ha ogni giorno sotto gli occhi, qualcosa nella quantità infinita delle immagini che scorrono là fuori? E Sabina, tutti quegli anni, non è stata una Sabina speciale che ha avuto nella testa? La sua, solo sua. In questo è una privilegiata.

Maria accarezza la mano bianca ma sta attenta a farlo solo con l'interno liscio della sua, in modo che lei non si accorga delle rughe. Presto però non è più possibile perché Emilia prende il comando. Ne sa più di lei. Maria ora è timida, non ha mai pensato di accarezzare una donna. Emilia fa scorrere il dito sul dorso della sua mano. La pelle è così secca, averci messo un po' di crema prima di venire... La mano usata dai gesti negli anni. La bambina, il marito, il lavoro, la casa. Poi la bacia, piccoli baci di ringraziamento, come fosse una fortuna tenerla fra le sue. Maria chiude gli occhi, ora sono uguali. Quando si baceranno sulla bocca e sentirà il sapore infantile della saliva di lei, rimpiangerà di aver fumato tutte quelle sigarette. Ma chi se ne frega delle sigarette! In ogni caso terrà gli occhi chiusi e forse, cieche tutt'e due, riusciranno a vedersi per la prima volta.

152

# 4.

Sabina grattugia il parmigiano e guarda Anne. Sua cognata si muove veloce nella cucina superattrezzata, le ricorda Emilia. In fondo ogni donna è cieca nella sua casa, si sposta d'istinto, prende gli oggetti senza guardarli come fossero propaggini del proprio corpo. Il corpo di Anne sa esattamente dove andare. L'impulso va dal cervello alle mani e ai piedi, senza coinvolgere altri sensi. E può dunque fare molte cose contemporaneamente: parlare con i due bambini che disegnano per terra, conversare con lei, rispondere al telefono. Se il mondo fosse una casa, le donne lo dominerebbero.

"Avresti dovuto cucinare tu, non lasciare a me che sono straniera la responsabilità di un compito così incredibilmente formidabile. Italiani sono molto, come si dice, fissati... Si dice 'fissati'?"

"Si dice proprio fissati."

"Fissati con la cucina. Tuo fratello non è contento mai quando cucino italiano."

"Daniele finge di essere scontento così ottiene sempre di più, lo faceva anche da ragazzo con mia madre."

Giovanni e Bill le lanciano un'occhiata rapida e si rimettono a disegnare. Ogni volta che Sabina nomina il fratello la guardano diffidenti, come non credessero che lei sia proprio sorella del padre. Parla male la loro lingua, non l'avevano mai vista prima e viene da un paese di cui in casa si favoleggia in continuazione, un regno delle favole che però forse non esiste.

"Non so cucinare, Anne, se no l'avrei fatto volentieri. So fare la bistecca, la pasta, cose molto semplici."

Fuori è calato il buio. Daniele sta cambiando le lampadine fulminate dei lampioni del viale. Dalla finestra della cucina lo vede camminare verso casa, prova le luci a una a una. Deve fare un freddo polare, eppure lui ha solo una giacca leggera, niente guanti, niente berretto. Non ha mai sofferto il freddo, anzi, l'aria gelida gli piace, lo eccita, allontana da lui la depressione che Sabina conosce bene, la stessa del padre. Lei, prima della crisi che l'ha fatta arrivare in quella casa come un pacco natalizio, ne era immune. Gli ultimi raggi del tramonto, i vapori del gelo, fanno tremare la luce intorno al corpo chino del fratello. I suoi movimenti sono lenti, i passi, l'avanzare verso la casa calda, sembra stanco.

Bill si avvicina con il disegno in mano. Con lui ha fatto subito amicizia, forse perché somiglia a loro, o perché ha un carattere più aperto del fratello.

"*Sabina, you like it?*"

"*Oh! It's beautiful! A big house... and who are these people?*"

Anne prende un mestolo da un cassetto e gira il sugo.

"*Bill, I told you many times that you must speak Italian when you talk to your aunt. Your father wants you to learn his language, ok?*"

Bill sbuffa, mi guarda.

"*Ok, mum.*"

Bill indica con il dito i personaggi del suo disegno.

"*Mama, dad, Giovanni. Outside Sabina, sola.*"

Anne si volta di nuovo verso il figlio.

"*Bill!*"

"Lascia, fammi parlare con Bill, Anne. Ok, Sabina è sola, fuori dalla casa, e adesso cosa le succede?"

Bill le sorride rassicurante.

"Bill fa lei entrare."

"Grazie, sei molto gentile, però non l'hai ancora disegnato. Sbrigati, perché fuori fa freddo e Sabina altrimenti morirà congelata, brrr..."

Bill le riprende il disegno dalle mani, annuisce.

"Ok."

Si stende accanto al fratello. Giovanni disegna serio, ogni tanto tira su con il naso. Fa tutto seriamente, come nella vita non ci fosse proprio nulla di cui divertirsi. A Sabina piace sempre di più il bambino olandese di suo fratello; i loro cromosomi si sono provvidenzialmente mischiati con quelli di Anne.

"E tu cosa stai disegnando, Giovanni?"

Giovanni la guarda, poi abbassa lo sguardo sul disegno, esita.

"*A plane.*"

"Un aereo. E dove vuoi andare con l'aereo?"

Risponde senza guardarla:

"*To Italy*".

Sabina lo fissa stupita, gli sorride.

"Fantastico! Allora quando vado via ti porto in Italia con me, va bene? Lasciamo papà, mamma, Bill e ce ne andiamo in Italia tu e io, ok?"

Giovanni ricambia il sorriso timidamente. Il bambino olandese, chiuso e diffidente, le sta aprendo il cuore più dell'altro con cui tutto sembra facile.

Anne prende il parmigiano che Sabina ha finito di grattugiare, le sussurra:

"È timido, molto sensibile, emotivo. Somiglia a Daniele, cosa pensi?".

A Sabina Daniele non è mai sembrato così sensibile. Intelligente, affascinante, ma sensibile francamente no. Anne le sembra invece una persona sensibile.

"Fisicamente è identico a te, e anche come sensibilità. Pensi davvero che Daniele sia così ipersensibile?"

Anne guarda il figlio. Un pensiero che non dice le attraversa la mente.

"Sì, io penso che Daniele è sensibile, anche complicato, molto complicato."

Chi capisce qualcosa dei propri familiari?, pensa Sabina mentre l'aiuta a disporre le fette di mozzarella sulla pasta.

"Incredibile vederti cucinare la pasta al forno qui. Mia madre cucinava male, non mi ha insegnato niente, neanche la pasta con le sarde. Tu la sai fare?"

"Daniele è pazzo di quella pasta. Io non faccio più, è troppo complessa... si dice 'complessa'?"

"Si può dire, è molto bello dire 'complessa' parlando di una pasta."

Quando torna in Italia Sabina cercherà di imparare a cucinare per Franco e per il girino.

"Allora pensi che Daniele sia molto 'complesso'?"

Anne la guarda stupita.

"Assolutamente molto complesso. Lui è nascosto come

Giovanni, non si avverte la sua sensibilità. Daniele piange facilmente, sai."

Sabina la guarda interdetta.

"Piange? Come 'piange'?"

"Per esempio, Bill è caduto da bicicletta già un anno fa, si è ferito, l'hanno operato in ospedale al braccio, sai? Durante operazione Daniele ha pianto, io no. La sera tu sei arrivata qui, ho sentito lui piangere nel bagno prima di venire nel letto. Lui tiene nel mistero la sua emotività."

L'uomo misterioso è sulla porta, congelato, con le braccia piene di fascine per il fuoco. Chiama a raccolta i figli perché lo aiutino ad accendere il camino. Bill e Giovanni si alzano di scatto come due soldati, lo seguono urlando, lasciando a terra i disegni: la casa della famiglia americana da cui è rimasta fuori e l'aereo che la riporterà in Italia. Nel muro della casa Bill ha disegnato un buco, prima di partire forse la farà entrare.

"Effettivamente non mi sono mai accorta che fosse così ipersensibile. Ma di quante cose non mi sono accorta, di me, di lui, di mia madre e mio padre. Da noi si parlava poco. Ognuno faceva il proprio lavoro, si studiava, si discuteva di argomenti, ma si parlava poco di noi."

Anne stende il pomodoro sulla mozzarella.

"Lo so, cara. Voi siete malati di questo. Gli altri italiani non sono così, vero?"

Sabina ride.

"No, forse no, o almeno si dice che gli italiani sono estroversi, cantano, fanno l'amore e lavorano poco. Ma se è per questo si dice anche che cucinano bene. Così Daniele e io siamo malati perché parliamo poco?"

"I vostri genitori erano così, no? Ho conosciuto tuo padre, tua madre no. Ricordi quando sono venuta in Italia con Daniele? Tu hai telefonato che lui moriva e Daniele voleva vederlo. Daniele è stato con lui tutti i giorni fino alla morte. Io ero con lui qualche volta, aiutavo a farlo mangiare. Parlavano poco e solo di greci, basta, nient'altro mai. Molto impressionante."

Sabina ride di nuovo.

"Sì, molto impressionante. Non sono normali. Oggi però siamo stati bene, ti ha raccontato qualcosa?"

"Non racconta mai. Ma sono contenta per te, tu hai molto bisogno di lui."

A Sabina di colpo vengono le lacrime agli occhi. Piange troppo da un po' di tempo, come Daniele.

"Sì, era tanto che non ci vedevamo. Abbiamo parlato di argomenti esterni a noi, dell'Italia, di qui, ma poi anche di me e di lui. Daniele è molto felice qui con te e i bambini."

Anne le fa una carezza sulla testa come fosse anche lei una bambina. Sabina si chiede perché la veda così fragile e bisognosa.

"Sì, penso che è felice. Noi abbiamo fatto un patto, sai, di dirci tutto, non nasconderci niente. Daniele ha bisogno di questo, lui deve avere completa fiducia per aprirsi. Forse anche tu, no?"

C'è qualcosa nel tono di Anne che non le piace sino in fondo. È tenera Anne, e buona, di questo ne è sicura, ma ha un modo un po' troppo materno di parlare di loro due. Se n'è accorta solo ora.

"Direi che siamo persone normali dopotutto. Non è un crimine essere un po' chiusi. Lui ha te, e anche Franco è più estroverso di me. Ci si incontra e ci si completa, no?"

Anne sparge l'ultima manciata di parmigiano, si asciuga le mani e accende il forno.

"Certo, è così. Credo nel matrimonio, molto. Ma durante infanzia sono tante cose che pensiamo, che succedono, è impervio aiutare un essere umano in profondità con l'amore. Si dice 'impervio'?"

Sabina guarda il viale dalla finestra, non ci sono più lampadine rotte né chiazze scure. Tutto è illuminato.

"Sì, si dice, anche se si usa più per un posto difficile da raggiungere."

Anne le lancia uno sguardo enigmatico mentre inforna la pasta.

"Daniele è così, difficile da raggiungere."


È l'ora della nausea e si deve vestire. Non vuole niente che le stringa in vita, meglio i pantaloni larghi e la maglietta nera. Il nero le sta bene. A Franco piace quando si veste di scuro, la pelle bianca sembra ancora più chiara e gli occhi blu quasi neri. Si sveste, si tocca il ventre, ancora non si vede niente. Solo quella nausea a ore fisse. Non ha specchi grandi a casa, qui invece ce n'è uno dietro l'anta dell'armadio. Sabina ha tirato le tende a fiori rosa prima di spogliarsi, le tende uguali al copriletto. Forse pensavano di avere una bambina o lo pensano ancora, perché no? Anne è così brava e ha praticamente smesso di lavorare.

In questi giorni si osserva spesso allo specchio per controllare se nel suo corpo stia cambiando qualcosa. Solo il seno è gonfio, per il resto ancora nulla.

Guardandosi nuda, per la prima volta nella sua vita si è vista bella. Sa di esserlo, gliel'hanno detto in molti. Emilia almeno un milione di volte. Eppure lei si è sempre trovata leggermente nauseante. Il seno troppo grosso rispetto al corpo, il colorito esangue; il viso da bambina buona e gli occhi! Gli occhi blu grandi e belli come due stelle! Tutti hanno sempre parlato dei suoi occhi. Nelle illustrazioni delle favole le bambine hanno occhi come i suoi. Anche nei cartelloni della pubblicità. Per fortuna ha i capelli neri e non biondi, se no sarebbe stata una perfetta Bella addormentata nel bosco o Alice nel paese delle meraviglie. Somiglia a suo padre, anche lui aveva la faccia da bamboccio, solo che si era appesantito presto e portava gli occhiali, così era difficile vedere la somiglianza. Sabina trova la sua bellezza stucchevole, per questo ama vestirsi di nero.

Ora invece si vede bella. Le piacciono le occhiaie, anche gli occhi dilatati, meno angelici. Il seno è più grosso di prima, ma si capisce che non è in una situazione normale, che si sta trasformando per qualcos'altro. A Sabina piace questa trasformazione. Ha sempre pensato al suo seno in relazione a un uomo, da ragazzina si vergognava perché era troppo grande, portava magliette larghe per non metterlo in mostra. Poi si è abituata all'eccitazione degli uomini quando lo guardavano e lo toccavano. Alla maggioranza degli uomini il seno grosso fa venire una reazione automatica, quasi un riflesso condizionato. Le sembrava di non aver fatto ancora nulla – si era giusto tolta la maglietta – e già era accaduto tutto, quasi finito. Anche il modo in cui lo toccavano era snervante, bambini famelici in cerca della tetta materna. Franco non lo aveva guardato troppo a lungo, e non come un corpo estraneo. Lo accarezzava e lo baciava leggermente. Sotto le sue mani il seno di cui da ragazza si vergognava rientrava a far parte del corpo. Adesso era la stessa cosa, la trasformazione del seno aveva uno scopo dentro di lei. Lo scopo era il girino.

Il fatto che il corpo della donna oggi serva solo a eccitare l'uomo è una riduzione, non un progresso. Sabina ne è convinta ma non lo dice. Quante altre cose non osa dire! Ha sentito di uomini che proibiscono alle donne di allattare per non sciuparsi il seno, di donne che hanno mandato via il latte per farli contenti. Ma neanche le piace l'ostilità di certi pediatri, obbligano la madre ad allattare con la minaccia di una maledizione divina. Tutto parte dal modo in cui gli esseri umani si amano e si desiderano, pensa Sabina. Il girino è prima di tutto connesso a Franco, se lui lo sente come una minaccia, allora gli contenderà il seno. Ma l'erotismo non comincerà per loro proprio dal seno materno? Sabina se lo chiede mentre si veste. Pensa che sarebbe bello se l'uomo e la donna non subissero tanti riflessi condizionati dovuti alla specie.

A lei viene voglia di fare l'amore quando non vede nell'altro il riflesso condizionato legato al suo corpo. Ogni volta che Franco è troppo chiaramente intenzionato a farlo, il suo desiderio sparisce. Se invece si abbracciano in silenzio e c'è un'armonia strana, come se una conversazione fra loro stesse andando avanti da sola, a Sabina viene un'intensa voglia di essere penetrata.

Infila i pantaloni e pensa alle ultime parole del fratello:

"Lascia dormire i morti e i sogni su di loro".

Quella frase le ha ridato vita. Certo, è così, i morti non hanno diritto di parola. Tutta la letteratura è piena di padri che riappaiono in sogno e decretano, ordinano la vendetta, causano la rovina dei figli. Vogliono comandare, essere ascoltati anche da morti, mentre la vita appartiene a chi deve decidere l'azione di ogni giorno. Questo accade in letteratura, appunto. La vita, la verità, sono un'altra cosa. *Lascia dormire i morti e i sogni su di loro.*

Sabina si trucca davanti allo specchio.

*Lascia dormire i morti...* questo si capisce. Il morto dorme, lascialo dormire in pace, non interpellarlo più, non attribuirgli pensieri, idee dei vivi. Ma *lascia dormire i sogni su di loro*? Cosa vuol dire? Un sogno non dorme. Lasciar dormire qualcosa, metterlo da parte, farlo dimenticare, dimenticare. Mettere da parte il sogno, dimenticarlo. Sabina ferma il pennello sulla palpebra, le batte il cuore, si siede sul letto.

Come faceva Daniele a sapere che era un sogno su un morto? Cosa gli ho detto? Non questo. Che avevo fatto un brutto sogno, e poi qualcosa riguardo ai ricordi, a papà e mamma. Avrà sommato le due informazioni. Eppure mi ha raccomandato deciso: *Lascia dormire i sogni sui morti.* Sa qualcosa che non mi ha detto. È chiuso, nascosto, piange troppo. Un uomo del genere può decidere di non parlare per tutta la vita. Mette l'oceano fra me e lui, e buonanotte! Sono morta anch'io, come loro. Poi un giorno arrivo come un pacco natalizio, mi deve accogliere, forse mi vuole anche bene, rivedermi lo fa piangere. Perché è venuta questa? Cosa vuole da me? Cosa vuole sapere? Io non so niente, non voglio turbative alla vita con mia moglie, con i bambini.

Però mi ha parlato senza problemi del libro di papà, di lui, delle sue manie. Aveva un tono naturale, rispondeva alle domande. È stato così contento del bambino. Potrebbe avere l'idea di far rientrare tutto nella normalità. Chi è Daniele?

Dei colpi leggeri alla porta, Sabina va ad aprire con il pennello in mano, la riga sull'occhio tracciata a metà. Giovanni è davanti a lei, vestito per la festa, con la cravatta e la giacca, le tende il disegno dell'aereo.

"*It's finished, it's for you.*"

Sabina prende il disegno, si china, lo abbraccia.

"Grazie, Giovanni, che bel regalo! Ma tu vieni con me, eh?"

Il bambino annuisce, vuole liberarsi dell'abbraccio, ha fretta di andare giù, ansioso che la festa cominci. Sabina lo guarda scendere le scale di corsa, chiude la porta. L'aereo è finito, colorato, pronto a partire. Sabina lo appoggia sul comodino e si sente sollevata. Giovanni, Franco, il girino, i vivi.


Sabina si è divertita. I professori amici del fratello l'hanno ammirata, non le hanno fatto la corte perché erano accompagnati dalle mogli. Un professore di storia naturale, uno dei pochi scapoli, l'ha intrattenuta facendola bere troppo sul famoso uccellino blu di cui le ha parlato Daniele. L'ha invitata nei parchi intorno al fiume Potomac, sulle torri d'avvistamento per gli uccelli, dove c'è una possibilità di vederlo. Della cena italiana cucinata da Anne non è rimasto quasi niente.

Daniele ha avuto complimenti per la moglie e per la sorella. Con Giovanni e Bill ha piantato fuochi d'artificio nel giardino innevato, a mezzanotte hanno appiccato il fuoco alle polveri. Gli invitati congelati guardavano con terrore il giardino in fiamme, i bambini saltavano come folletti intorno ai fuochi. Daniele godeva per le esplosioni a catena che aveva saputo organizzare.

Sono andati via da poco. Anne sta sistemando in frigorifero

i cibi avanzati, le ha ordinato di restare seduta in salotto. Daniele è su a mettere a letto i bambini. Sabina si è tolta le scarpe, si è stesa sul divano. Le mancano Franco, la loro casa, le serate insieme. Ha deciso di prenotare l'aereo fra due giorni, il tempo di stare ancora un po' con loro, con i bambini. Poi l'università riapre, lei deve tornare. Non rimpiange l'Italia, solo Franco. Stare lì con quella gente le piace. Basta portarsi dall'Italia i libri, la cucina, parlare d'arte e di città italiane con gli americani che ti ascoltano pieni di entusiasmo. Non è l'Italia di oggi che manca a chi sta fuori, forse la lingua dopo un po', il sole. Capisce la scelta di Daniele.

Appoggia la testa sul bracciolo del divano, chiude gli occhi. Dev'essere bello stare in alto, su una di quelle torri d'avvistamento in mezzo alla foresta. E il professore di storia naturale era simpatico. Se fosse sposata con lui saprebbe tutto sugli uccelli, avrebbe una bella casa, una cucina attrezzata come quella di Anne, due bambini, avrebbe smesso di pensare al teatro e al cinema e tutto andrebbe avanti senza scosse nei secoli dei secoli. Le gira la testa come se stesse su una di quelle torri, ha bevuto troppo.

"Allora, ti sei divertita?"

Sabina riapre gli occhi, il fratello si è seduto all'altro lato del divano, la guarda sorridendo, l'aria leggermente opaca.

"Sì, ma ho bevuto troppo. E tu?"

"Sì, confesso che mi sono divertito."

Sabina ride.

"Non c'è nulla di male a divertirsi!"

"Oh, per lui è quasi un crimine, vero caro?"

Anne è entrata nella stanza, si siede accanto a lui, appoggia la testa sulla spalla del marito, gli dà un bacio.

Daniele la guarda.

"Perché, sono così orso?"

Anne lo fissa interrogativo.

"Orso, quale orso?"

Daniele e Sabina scoppiano a ridere, un riso da scemi, hanno veramente bevuto troppo. Ride anche Anne, che non ha capito niente.

"Si dice 'orso' per dire 'poco socievole', Anne, è un modo di dire."

Ridono di nuovo, poi si placano, hanno gli occhi pieni di lacrime. Sabina si alza, si soffia il naso con un tovagliolo di carta.

"Dio mio, mi sento male dal ridere."

Daniele la segue con lo sguardo mentre si allunga di nuovo sul divano.

"Posso dare ad Anne la bella notizia?"

"Pensavo gliel'avessi già data e poi ho scoperto di no. Sei stato molto riservato."

"Quale bella notizia?"

"Sabina aspetta un bambino da Franco, Anne."

Sua cognata la guarda come una ragazzina felice. Si stacca dal marito, le tende la mano.

"Sono così felice per te!"

Si tengono per mano.

"È uno degli accadimenti più belli della vita, vedrai..."

Anne si volta verso Daniele.

"Si dice 'accadimenti'?"

"È un po' letterario, meglio avvenimenti."

Sabina le sorride.

"Si può dire, Anne, lascialo perdere."

Le loro mani si staccano. Anne la guarda commossa, di colpo seria.

"Io penso che per te è veramente molto importante, Sabina, soprattutto per te."

Sull'ultima frase la voce si è trasformata in un sussurro. Tacciono. Daniele guarda l'orologio. Anne si appoggia di nuovo sulla sua spalla, fissa un punto sulla parete. *Soprattutto per te.* Perché? Meglio non chiedere. Sabina chiude gli occhi, cerca di fermare il cuore respirando. Lasciar passare l'attimo, l'infinitesimale istante di chiarezza. Coprire lo squarcio con le gioie quotidiane, il girino, Franco, prendere sonniferi per non sognare, non sapere mai. Appartenere al gruppo dei normali o degli ignari. Lasciar dormire i sogni.

"Andiamo a dormire, cosa ne dite? Domani Bill e Giovanni si sveglieranno presto come al solito."

Anne non si muove. Sabina apre gli occhi, li vede abbracciati e distanti; ognuno dietro il proprio pensiero. È chiarissimo a cosa stanno pensando, tutto chiaro. Lo sguardo del fratello si muove impaziente da un punto all'altro della stanza, quello di Anne è fisso sulla parete.

"Perché *soprattutto per me*, Anne?"

Le domande fondamentali sono precedute e seguite da un silenzio. Un silenzio breve che dura tanto. È Daniele a romperlo.

"Cosa volevi dire, Anne? Che secondo te Sabina è adatta alla maternità?"

Anne si stacca da lui, prende da terra un tappo di champagne, lo strofina con la manica del vestito come dovesse rimetterlo pulito sulla bottiglia. Risponde al marito con un filo di voce: "Tu sai cosa io voglio dire".

Sabina non respira, alza gli occhi sul fratello. Il suo viso è fermo, non guarda né lei né la moglie, si sistema una ciocca di capelli, si alza.

"Tu lo saprai, io no. Andiamo a letto."

Un attimo dopo questa frase, l'ultima detta con calma, a Sabina pare che i due comincino a recitare un pezzo di teatro. Un testo molto drammatico, appassionante, le battute scritte, niente che sia collegato a lei, è ovvio, o forse solo in modo molto letterario. Li ascolta parlare e pensa: sono a teatro, sono venuta a vedere questa rappresentazione, questa ragazza di cui parlano ha un problema terribile, una cosa innominabile, poverina, com'è possibile che non ricordi niente, com'è possibile che questi due parlino della sua storia così, in sua presenza, e lei non dica nulla? Lei dov'è? Io non c'entro eppure soffro per lei, mi sembra che la sua tragedia mi sia in fondo così vicina, mi appartenga anche un po'. A me non è capitato niente di così terribile, la mia infanzia è stata normalmente infelice. Sono una persona buona e tranquilla, aspetto un bambino. Niente di strano.

Sabina si è distratta e ha perso un pezzo della scena, ma deve stare attenta. Se non si seguono tutte le battute, la trama sfugge.

"Non urlare che svegli i bambini!"

Daniele la tiene per un braccio, la scuote. Le ha parlato sbuffando come un toro impazzito. Chi l'ha mai visto così?

*"They are sleeping!"* gli sussurra Anne rabbiosa.

Si divincola, passeggia per la stanza imbestialita, le guance rosse. Lancia il tappo di champagne contro il muro. Il tappo ricade sul pavimento come se la bottiglia fosse stata appena stappata. Sabina non riconosce Anne, né il fratello, né se stessa. I denti prendono a battere da soli, impossibile fermarli.

"Sabina è venuta, Daniele, io non faccio più questo per te!"

Si ferma in mezzo alla stanza, lo sta sfidando, forse in modo un po' plateale, pensa Sabina. Cosa farà Daniele ora? La schiaffeggerà, la porterà a dormire a forza, cederà, parlerà? Sabina vorrebbe un po' d'acqua, ha la gola secca e i denti continuano a battere.

"Vorrei un po' d'acqua..."

I due si voltano verso di lei, la guardano stupiti per l'intromissione, come fosse una spettatrice entrata inaspettatamente nella tragedia.

Anne le va vicino, le mette una mano sulla spalla.

"Certo, cara, un bicchiere d'acqua, te lo prendo."

Sabina si tira su di scatto.

"Ascoltami bene, Anne. Non mettermi mai più la mano sulla spalla, non trattarmi come una bambina. Neanche tu Daniele, non ci provare mai più. Non parlatemi con commiserazione, non c'è nulla da compiangere. Tu, Daniele, mi hai trattato così tutta la vita! La sorellina bella e silenziosa! Ora la smetti, cazzo! Fai il padre con i tuoi bambini e lasciami in pace! Io torno in Italia e vi lascio tranquilli con i vostri segreti."

Sabina se ne va in cucina. Che recitino tra loro quella farsa, a lei non interessa più.


Si sono fatti un caffè. Sono seduti su due sgabelli ai lati della cucina piena di piatti e bicchieri sporchi. Anne è andata a dormire. Sabina non riesce ancora a guardare il fratello, l'ascolta, ma non riesce ad alzare gli occhi su di lui.

"Per tanto tempo, da bambino, non mi sono reso conto di nulla. Capitava quasi tutte le notti, eppure mi sembrava normale. È stata la cosa più difficile da vincere con la terapia. L'idea della mia mansuetudine."

Sabina lo interrompe senza guardarlo.

"Sei stato in terapia?"

"Una terapia lunga dopo che... dopo che ho avuto il coraggio di parlarne ad Anne."

"Scusami, ti ho interrotto. Vai avanti."

"Pensavo fosse normale, questo è il punto. Durante il giorno, quando ci incontravamo, lui mi chiedeva della scuola, mi portava dal barbiere, mi diceva di comprargli le sigarette, veniva a parlare con i professori. Non mi toccava mai, ma pensavo fosse normale anche questo. Tra uomini non ci si tocca."

La voce del fratello si incrina su quest'ultima parola. Sabina lo sente piangere all'improvviso. La voce è sottile, le lacrime lo soffocano. Non ce la fa a guardarlo.

"Scusa. È perché... perché l'unica cosa che non sono riuscito a superare è... io non posso toccare Bill e Giovanni, non posso dargli neanche un bacio."

Sabina non deve avere pena di lui. È Daniele, suo fratello, un professore d'università, un uomo che si è gettato la merda alle spalle.

"Non piangere, continua."

Daniele tira su con il naso.

"Sì, scusami."

"Non dire scusami. Non hai niente di cui scusarti. Tu puoi piangere, io ancora no. Vai avanti."

"È successo, non proprio tutte le sere, dai cinque agli otto anni. A un certo punto della notte, sentivo i suoi passi nel corridoio. Mettevo la testa sotto il cuscino per non sentirli, speravo si fermassero, che ci ripensasse. Ma apriva sempre la porta, stava fermo, e dopo qualche secondo diceva *Daniele vieni*, con una voce supplichevole. La sua voce era diversa da quella del giorno. Di giorno era imperativa, sicura, sempre leggermente enfatica. Di notte era quella di un bambino lamentoso, tremante di paura, per questo... per questo..."

Daniele piange di nuovo. Sabina non può ancora concepire la trasformazione del fratello. Rivuole subito indietro la sua distanza, i toni bruschi, la cultura, i silenzi, la virilità.

"Non piangere, ti ho detto!"

"È questo che non sopporto di me, la mia voce mentre piango, mi ricorda troppo la sua."

"Allora non farlo. Non ti commiserare, pensa ad Anne, ai bambini, al tuo lavoro. Lui non ha avuto niente in confronto a te, è crepato, tu invece ce l'hai fatta."

Continua a non guardarlo, fa passare il dito sulla lama di un coltello sporco. Se piange ancora lo spingerà forte nel dito, si ferirà. O lo farà penetrare a fondo nel petto del fratello e poi nel suo, cadranno uno sull'altra sul pavimento della cucina, il sangue colerà sulle mattonelle bianche. Uccidere il padre non è più possibile.

La voce di Daniele ora è netta, dura.

"Non piango per me. Io vedo quel bambino. Non sono più io, ho dovuto ucciderlo. Ho dovuto far fuori la sua bontà, la tenerezza per lo stronzo, l'accondiscendenza per uno sguardo d'amore. Questo potere aveva su di me. Piango per quel bambino perché mi fa pena. Io non mi faccio più pena, ho Anne, i bambini, la mia vita. Lui e la sua piccola vittima, li ho fatti fuori insieme. Alla fine diventano la stessa persona, vittima e carnefice sono una stessa entità. Lui ti chiama con voce supplicante, dipende da te calmarlo, farlo contento, che non si arrabbi con mamma, ti alzi, gli vai dietro, fai quello che ti chiede. Sei uguale a lui perché accetti il suo gioco. Non è così, ovviamente, tu non hai metro di giudizio, non sai cosa sono quei gesti. La guarigione completa è quando riesci a non vederli più uniti, li dividi finalmente, salvi il bambino, te stesso bambino. Ma io non ho potuto, non ce l'ho fatta, per questo piango troppo, anche se nessuno se ne accorge, riesco a farlo di nascosto. Ho dovuto ucciderli insieme. Il bambino per me è morto quando è morto lui. Però il suo ricordo, il modo in cui funzionava la sua testa di bambino, certe espressioni del viso, come vedeva le cose, il padre, la madre, il giorno, la notte, gli altri, mi tornano in mente, ci penso e piango. Quando è morto – in ospedale, ho voluto chiudergli gli occhi io –, si è portato anche il bambino con sé."

"E mamma dov'era quando lui veniva a chiamarti?"

"In cucina, correggeva i compiti. Non si può raccontare né capire, lo so. A otto anni li ho colpiti tutti e due. Eri nata tu. Mi hai salvato la vita con la tua nascita, per questo volevo salvare la tua. Avevo otto anni, ti guardavo nel lettino. Non mi ricordo di essere stato geloso, mi sembravi bella e mia. Un giorno lui si è chinato su di te, ti ha accarezzato. Era un gesto da padre, di giorno lui era un padre, ma ho capito che dovevo colpirlo. Qualche sera dopo ha aperto la porta della mia stanza, gli ho gettato contro il posacenere di marmo, lo avevo nascosto sotto le lenzuola. Gli ho fatto uscire sangue dalla testa. Gli ho urlato che l'avrei ammazzato se fosse venuto un'altra volta e se ti avesse toccato. Si lamentava come un bambino piccolo, diceva *va bene, va bene*, non posso dimenticarlo. Mamma lo ha medicato. Dopo lei è venuta a sedersi sul mio letto, l'ho colpita con schiaffi e pugni. Non piangeva, accettava i colpi, a un certo punto mi ha fermato le mani. Non so come riuscire a farti capire quello che mi ha detto. Sapeva che papà era malato, se n'era accorta poco dopo il matrimonio, ma mai in maniera chiara. Io credo che a lei piacessero molto certe sue forme di immaturità, le piaceva fargli da mamma, accudirlo, perdonarlo. In sostanza mi aveva accomunato a lei: papà ha queste manie, non ti fa male, sei suo figlio, siamo una famiglia, non lo saprà nessuno, lui è debole, tu devi essere forte come me. È un vizio, diceva in quel

166

modo un po' antiquato con cui parlava delle perversioni, lui non riesce a non farlo, ma non è cattivo. Ne parlava come se fumasse o bevesse troppo. In quel momento credo di aver pensato a lei come a una donna delle caverne, tra me e loro c'erano secoli, non una sola generazione. In terapia invece è stato molto importante capire che in ognuno c'è una caverna, che non siamo gli unici a essere maledetti. Quella sera le ho detto che lui non doveva toccarti, né aprire mai più la porta della mia stanza, altrimenti l'avrei ammazzato. Ci siamo intesi senza neanche dircelo, non ti avremmo mai lasciata sola con lui."

Sabina lascia il coltello sull'ultimo piatto sporco della pila. Nessuna arma può liberarci dal gruppo a cui si appartiene, dalla tribù con cui viviamo nella caverna, forse solo quella rivolta contro noi stessi.

"Non ci siete riusciti, credo."

"No, non ci siamo completamente riusciti."

Sabina alza lo sguardo su Daniele. Si fissano ai due lati della stanza. Com'è bello suo fratello! È alto, muscoloso, mani grandi, occhi pieni di pensieri, di conoscenze. Che fortuna che i bambini crescano, spariscano, diventino uomini, che la debolezza si trasformi in forza. Nessuno può più toccarli. Perdono la fiducia sconsiderata nel prossimo, non si affidano con quel pericoloso sguardo inconsapevole, sanno come difendersi. Non si mettono più nelle mani di nessuno, forse solo in quelle di Anne. Non importa se Daniele piange di nascosto, Anne lo ama lo stesso. Negli occhi del fratello Sabina all'improvviso si riconosce, vede la loro storia, la bambina, la casa, i silenzi. *Accosta al punto del taglio il ricciolo di questo tuo fratello così uguale in tutto a te.* Che versi erano? Non se lo ricorda.

Sabina si addormentava con l'odore delle sue sigarette, la tosse del fratello, dalla stanza accanto, la proteggeva. Daniele usciva poco, non si fidava a lasciarla. Appena era cresciuta aveva preferito portarla con sé. Sabina si addormentava nelle stanze dei suoi amici, mentre discutevano di argomenti difficili. Lui le toglieva le scarpe, la copriva. La madre chiamava lui se Sabina si faceva male, il fratello le disinfettava il ginocchio, le metteva un cerotto. Tutte le sere, prima di addormentarsi, le leggeva un pezzo dell'*Odissea*. Faceva le voci dei vari personaggi, cambiava tono. Amata voce del fratello.

"Sono venuto a Roma per vederlo morire. Volevo esserci, non vendicarmi. Quando sono partito per gli Stati Uniti mamma era già morta, tu vivevi per conto tuo, mi ero fatto giurare da lui che non ti avrebbe mai detto nulla. Ma avevo paura che prima di morire ti confessasse qualcosa, magari per alleggerirsi la coscienza. Era un sentimentale, si commiserava facilmente. Volevo chiudergli gli occhi e la bocca prima di seppellirlo. Non l'ho mollato neanche un istante. Assistere alla sua agonia non mi dava piacere, ma certo non mi faceva soffrire. Lo guardavo: ogni giorno diventava più trasparente, le orecchie si allungavano, le mani chiedevano acqua. Gliela davo, lo pulivo, lo cambiavo, gli portavo la padella. Guardavo il suo corpo come si osserva una specie a parte. E invece era identico a tutti gli altri! Lo guardavo dormire, respirava a fatica, contavo i respiri. Pensavo: il corpo di quest'uomo è uguale al mio e muore come succederà a me, allora anche quello che ha fatto è in me, in tutti. Per questo lo curavo con ostinazione filiale, volevo essere diverso da lui. I suoi vicini di stanza lo invidiavano, *che figlio fantastico ha, professore!* Volevo essergli superiore, sconfiggerlo sino in fondo. Lui non se n'è mai accorto, era troppo immaturo per capirlo. Forse pensava che avessi dimenticato tutto, o che a un padre si perdona tutto. Parlavamo delle solite cose, aveva una mente sottile quando si applicava a certi argomenti che avevamo in comune. Anche nella scelta delle stesse materie di studio credo ci sia stata l'idea di batterlo. Sai, il mio rovello in questi anni è lo stesso che hai tu. A cosa gli è servito quello che sapeva se ha fatto quello che ha fatto? A cosa serve a noi? Come incanalava il suo *vizio*, come lo chiamava mamma, nel rapporto con gli studenti?, forse trasformandolo in una conoscenza?, chissà. Ti ricordi quanto era amato dai suoi allievi? Non lo so, è come affacciarsi su un pozzo nero e profondo, se lo guardi troppo ci cadi dentro. Una sera – stavo andando via, mi ero avvicinato al letto per vedere se la flebo scendeva – mi afferrò il braccio con la forza di quando era giovane. Parlava a fatica, mi disse che dovevo occuparmi di te, che anche a te era accaduta la stessa cosa, due volte. Ne parlava come un padre amoroso che si preoccupa del trauma inflitto al figlio da un altro. Dovevo mandarti da un medico, dovevo farti curare. In fondo, ci ho pensato dopo, è stata l'unica frase consapevole che ha detto su tutta la faccenda. Come avesse realizzato qualcosa prima di morire. Era rimasto solo, senza mamma che lo proteggeva e lo copriva. O forse aveva sentito qualche dibattito in televisione, non lo so. Lì ho saputo di te e lo squarcio si è riaperto. Ho avuto il coraggio di raccontare tutto ad Anne."

Sabina continua a guardarlo, ora non può lasciarlo con lo sguardo. Tutti i pezzi del fratello sconosciuto, desiderato, dispersi negli anni, confluiscono nell'uomo seduto di fronte a lei.

"Ma non hai avuto il coraggio di raccontarlo a me."

"Sapessi quanto ci ho pensato! Non ti ricordavi niente, non me ne avevi mai parlato. Ho pensato che eri piccola, che era accaduto solo due volte. Due maledette volte! Non so neanche quando! Ci sono assassini in giro, hanno commesso delitti e nessuno li prende! Non hai idea di quanti ce ne sono! Perché noi dobbiamo sempre saldare il conto con la verità? Perché non potevi essere lasciata in pace almeno tu? Io ti vedevo tranquilla, facevi la tua vita, avevi scelto una professione diversa."

"Quando te ne sei andato, dopo il funerale, mi sono sentita sola al mondo."

"Mi sono curato qui, Sabina. La cosa più importante per me era che tu non sapessi niente. Con Anne, con il medico che mi ha seguito, ne abbiamo parlato a lungo. Dovevo stare lontano da te, dall'Italia. Anne pensava che avrei dovuto parlartene, che in qualche modo sarebbe venuto fuori. Ma per me tu eri salva. Quando mi hai detto del bambino ero così felice! Pensavo di aver vinto la mia lotta contro di lui."

"È venuto fuori con un sogno. Nitido e vero, così reale. I morti non ci abbandonano finché non li uccidiamo."

Daniele la fissa intensamente.

"Hai ragione. L'ho capito il giorno in cui è morto, la sera dopo la confessione. Ho detto all'infermiere di preparare il doppio della morfina, che aveva sofferto come un cane tutta la notte. Era previsto che sarebbe accaduto. Ma non era vero, aveva dormito tranquillamente. Io invece ero stato sveglio a pensare a quelle due volte. È andato in coma subito, è morto in poche ore."

Sabina lo guarda allucinata.

"Tu hai fatto questo?"

"Sì, l'ho fatto. Non sono un angelo, in fondo sono figlio suo."

"Non dire cazzate. Noi siamo fratello e sorella, ma non siamo figli suoi. Ti devi convincere di questo."

Daniele scuote la testa.

"Siamo fratello e sorella e figli suoi, ma l'abbiamo ucciso: io l'ho ucciso per te."

Le lacrime di Sabina vengono giù da sole, irrefrenabili, come quelle del fratello. Lui non si avvicinerà, non la consolerà, ha paura di toccare chiunque, anche i suoi bambini. Si alza, va verso di lui, l'abbraccia. Sente le sue mani incerte sulla schiena, colpi leggeri che vorrebbero essere carezze. E pensa ad Anne, a quanto deve averlo aiutato. E subito dopo a Franco, a come sarà la loro vita da oggi, al girino, alle possibilità del loro amore, dell'amore in generale.

# MARE

# 1.

"Che importa se ora sono sola, se nessuno degli uomini che ho amato mi è accanto. Io ho amato. L'amore che ho dato riempie la mia solitudine, le mie giornate."

C'è umidità nella sala, il benefico odore della moquette sporca, delle poltrone impolverate, ha qualcosa di fetale. La voce della doppiatrice è quella di una madre, calda e vellutata. La sala è il suo ventre gravido di storie. Emilia vede l'attrice che interpreta Gertrud, lo chignon biondo che le tira i capelli intorno al viso di rughe, la figura dritta e invecchiata, il giardino dove il suo innamorato di un tempo è venuto a farle visita. Li vede più nitidamente di Maria che segue la scena con gli occhi. La mente di Emilia va dietro alla voce, ricrea la scena nel ricordo, la trasforma in un posto spoglio di ogni precisione obiettiva, deformato, folle e sensato come un sogno. Per lei, cieca, il film è diventato un'opera d'arte, gli ha tolto ogni contaminazione con la realtà, ogni accento d'epoca destinato a invecchiare, l'ha consegnato a una gioventù perpetua a cui forse un film non è per sua natura destinato.

"Ora gli tende la mano, e lui gliela bacia."

Maria si volta verso di lei.

"Te lo ricordi così bene?"

"No, lo sto vedendo con te."

Maria le sfiora la guancia con un bacio.

"Vorrei tu vedessi il tuo viso, è così bello!"

"Guardalo tu per me."

La musica del finale. Gertrud se ne va via da sola, l'uomo

la segue con lo sguardo senza capirne il destino. La parola *Fine* sullo schermo nero, si accendono le luci. Le due donne si staccano istintivamente anche se sanno di essere le sole spettatrici.

"Fa un freddo cane in questa sala. Perché mettono l'aria condizionata così forte?"

Maria raccoglie la borsa di Emilia, gliela porge.

"Tieni. Meglio il freddo che i trenta gradi di fuori. Comunque Silvano è stato gentile a trovarci il film e ad aprire la sala per noi il 14 agosto. Lo devo ringraziare."

"È stato un regalo meraviglioso per il mio compleanno. Dobbiamo tornarci, promettimi che mi riporti al cinema!"

Maria ride, a tratti Emilia le sembra una bambina.

"Certo che ti riporterò, però a vedere film nuovi, non hai ancora l'età per vivere di ricordi."

Salgono le scale. Emilia sente sul viso la carezza della tenda di velluto e pensa che sarebbe bello vivere lì dentro per sempre con Maria. Alla cassa non c'è nessuno, anche l'ingresso è deserto.

"Andiamo via, lo chiamo domani."

Per strada fa caldo, sono le nove di sera e non c'è un filo di vento. L'aria è immobile, torrida, il sole del giorno l'ha arroventata. Qualche passante cerca un ristorante, un negozio aperto. Si avvicinano alla macchina posteggiata di fronte al cinema. Parcheggi vuoti dappertutto, un posto macchina non vale niente ad agosto. Maria apre la portiera per farla entrare. Emilia si ferma, si volta verso di lei.

"Senti, Maria, ci dobbiamo proprio andare?"

"Partiamo domani mattina, avevamo deciso... ne abbiamo parlato, no?"

"Sì, ma vedi, io non soffro il caldo. Stiamo così bene qui, non c'è nessuno, possiamo girare per la città quanto vogliamo, non c'è un bambino, nessuno che si ferma a guardarmi, mi sento libera."

Maria sbuffa.

"Senti Emilia, sono giorni che ne parliamo. Sai che sei una bella egoista? Io ho un caldo fottuto, non sono andata in vacanza con mia figlia per stare con te. Sabina ci ha invitato tre giorni al mare. Ma non hai voglia di farti un bagno? Io non vedo l'ora."

Emilia sospira.

"Andiamo al mare da un'altra parte."

174

"È per via di Sabina?"

"Ma no, c'è altra gente. Un regista amico loro con la moglie, e anche altre persone credo. Non mi va."

"Di farti vedere con me?"

"Cosa dici? Di stare con gente che non conosco. Veramente è a te che non va di farti vedere in giro con me. Quando è venuta tua figlia, sei sparita."

"E cosa dovrei dire io? Ogni volta che Sabina ti chiama, mi lasci fuori dalla porta."

Emilia tace, si morde le labbra, non replica. Perché non replica? Maria sente bruciarle dentro un fuoco di gelosia improvvisa.

"E non mi avevi detto che si sentiva male, che quest'ultimo mese di gravidanza è durissimo con il caldo, che avevi voglia di vederla? O non vuoi vederla con me?"

Maria ha parlato a voce troppo alta, come al solito.

"Andiamo al ristorante e ne parliamo, va bene?"

"Andiamo, se ti va."

Emilia entra in auto. Maria sbatte la portiera.


Hanno ordinato senza alludere alla discussione interrotta davanti all'auto, bevono il vino bianco. Dovrebbero iniziare a parlare, ma Emilia non ha voglia di affrontare quegli argomenti. Stanno così bene insieme quando nessuno si affaccia a guardarle, per questo non le va di andare al mare da Sabina.

"È carino questo posto."

"È un buon ristorante di pesce, ci venivo con mio marito molti anni fa."

Il tono di Maria è brusco. L'allusione al marito disturba Emilia, è sicura che ha fatto apposta a nominarlo. Quando è gelosa o si sente esclusa Maria tende a ribadirle che lei ha avuto una vita normale, un marito, un uomo, una figlia.

"Senti Maria, parliamone subito, tanto lo sento che sei incazzata."

"È il tuo compleanno, ne parliamo se ne hai voglia."

"Ne ho voglia, da dove cominciamo?"

"Da dove vuoi tu."

Emilia sospira.

"Hai un carattere! Certe volte penso che tuo marito ti abbia lasciato per questo, non per la ragazza!"

Maria non risponde, è rossa di rabbia. Che ci sta a fare lì con quella stronza? A lei non sono mai piaciute le donne. Dovrebbe essere in vacanza con la figlia, incontrare un uomo della sua età, aspettare di diventare nonna, portare il nipotino al parco.

Emilia si è pentita, lo sa che l'abbandono del marito è un argomento intoccabile. Ma l'ha pensato spesso che Maria ha cattivo carattere, è fragile, insicura e diventa aggressiva. Se si sente in inferiorità sbrana chiunque si avvicini. Basta un gesto d'affetto però e ridiventa una donna calda, spiritosa, intelligente, di lei si è innamorata.

"Scusa, non volevo. Ma mi esasperi quando fai così! Ora sei arrabbiata ma fai la gentile e non parli. Dici che venivi qui con tuo marito..."

Maria cerca una sigaretta nella borsa.

"Dovevi fumarla dopo cena."

"Non rompere, la fumo quando voglio."

Maria si accende la sigaretta, aspira il fumo, guarda Emilia. Di nuovo sente la vampata di gelosia per Sabina. Incinta di otto mesi è più bella di prima. Ogni tanto è venuta allo stabilimento per un turno di doppiaggio, una piccola parte, quando non faceva ancora così caldo. Trionfante, luminosa, con il ventre teso. Maria è gelosa della sua bellezza, della maternità, dell'amore di Emilia per lei che non finirà mai, ne è sicura. Si vedono quasi ogni pomeriggio mentre lei si rovina gli occhi in sala. Sabina può farlo, Franco lavora bene e la mantiene. Si incontrano sempre senza di lei.

"A cosa pensi Maria, perché sei incazzata?"

"Ho sbagliato tutto, la mia vita non è con te."

A Emilia trema la voce, la sua vita invece è con Maria. Nella casa, nella sua mente ora c'è il posto di Maria. Il letto è vuoto senza il suo corpo, nel bagno ogni mattina sente il suo odore, un misto di limone, latte e sapone.

"Perché dici questo? Stiamo così bene insieme, sono stata felice al cinema. Ma lo sono sempre con te. Anzi, non sono mai stata così felice nella mia vita."

"Neanche con Sabina, quando viene a trovarti il pomeriggio?"

"Siamo amiche da tanto tempo."

"Anche noi siamo amiche."

Maria beve un sorso di vino furibonda. Non riesce a non

parlare di Sabina! Emilia cerca la sua mano sul tavolo, le sussurra con dolcezza:

"No, noi non siamo solo amiche".

Ma sente avvicinarsi qualcuno e la ritrae bruscamente. Il cameriere sistema sul tavolo una dozzina di vaschette con vari antipasti di pesce. Versa loro del vino in un silenzio ostile e scivola via.

"Ti racconto cosa ci ha portato, così scegli."

La voce di Maria è tagliente, dura. Emilia cerca di nuovo la sua mano.

"Aspetta, non ho fame. Sei gelosa di Sabina?"

Maria fa una risata forzata, spegne la sigaretta appena iniziata.

"Figurati, sono stata vaccinata dalla gelosia per sempre. E poi non posso essere gelosa anche per altri motivi. La nostra non è una storia d'amore normale, almeno non per me. A me piacciono gli uomini. Non è una scelta che ho fatto da giovane, com'è successo a te. Ero una donna disillusa, ce l'avevo con i tipi come lui, con gli uomini in generale! Ma la verità è che sono attratta dal corpo dell'uomo, dai suoi pensieri, mi piacciono le diversità, e anche la normalità del rapporto fra uomo e donna; fanno l'amore e nascono i bambini. Certo l'uomo e la donna non si capiscono mai sino in fondo, spesso si odiano, si sentono infinitamente diversi, ma forse è per questo che si desiderano. E poi a me piace essere dominata dall'uomo fisicamente, come mi piace fare la madre. Se mio marito non se ne fosse andato, sarei restata con lui."

Emilia soffre per le parole di Maria ma le sente vere. La loro storia non esiste, finirà, resterà di nuovo con Sara ad aspettare le visite della madre e quelle di Sabina. I suoi sentimenti, il modo in cui lei intende l'amore non hanno un futuro con nessuno. Allora tanto vale giocarsi tutto.

"Invece io sono molto gelosa di tuo marito, di tutto quello che hai appena detto. Sono gelosa di tua figlia, del tuo passato. Penso spesso al tuo matrimonio, a quanto devi essere stata felice quando aspettavi la bambina. All'amore con tuo marito. Alle passeggiate che facevate tenendovi per mano o spingendo la carrozzina. Sono gelosa perché mi sembra di amarti e sono possessiva. Ma non vorrei mai vivere le stesse cose con te, non t'illudere! Ho una paura terribile di quelle cose normali! Come si fa a conoscersi veramente, amarsi, avere figli, quando l'umanità lo fa dalla notte dei tempi senza pensarci su, giusto perché così fanno tutti? Io invece voglio con te questa strana amicizia, come la chiami tu, l'ho scelta, hai ragione, è fuori da ogni contesto. È come l'amore visto dallo spiraglio di una porta, non c'è bisogno di spalancarla per farsi guardare da tutti! E sono felice di averti incontrato nel punto di massima infelicità reciproca, non ci trovo niente di male in questo. L'amore non nasce dalla felicità, può procurarla qualche volta, tu me la procuri spesso."

Tacciono, ognuna analizza il discorso dell'altra. Due strade: l'uomo, la donna, il bambino, sogni, errori, delusioni; o vivere in disparte in un angolo del mondo, scontare la diversità, godere dell'intesa difficile tra uguali.

Iniziano a parlare insieme dicendo la stessa cosa:

"Hai ragione tu".

Ridono.

"Raccontami gli antipasti, se continuiamo a bere a digiuno ci ubriachiamo e non sappiamo più cosa stiamo dicendo."

Maria le illustra ogni vaschetta, però Emilia non l'ascolta. Vorrebbe averla convinta ma pensa che non sia così. Quei due a spasso con la carrozzina sono troppo forti, nessuno può competere con loro. Le tende il suo piatto.

"Senti, dammi quello che ti pare."

"Ti faccio un bel piattino, non preoccuparti."

Mentre le mette nel piatto un po' di tutto, lo sguardo di Maria incontra la mano bianca abbandonata sul tavolo. Com'è bella ed elegante! Maria ha di nuovo il desiderio di afferrarla, lo stesso impulso della prima volta che hanno fatto l'amore. Di nuovo, nonostante i discorsi sul marito, si sente innamorata di lei e gelosa di Sabina.

"Emilia, sai una cosa? Non è vero che vedi Sabina in continuazione perché siete amiche *da tanto tempo*. Vuoi stare con lei per la stessa ragione per cui io penso ancora, malgrado tutto, a mio marito."

"E cioè?"

Maria le appoggia il piatto davanti.

"Un impossibile ritorno al passato."

Emilia prende la forchetta, sorride.

"Sì, forse è così, ma ora voglio interessarmi solo al presente, solo a te per essere precise."

Maria le prende la mano fulmineamente guardandosi intorno.

"Ci riusciremo?"

"Sì, se il passato non ci sta sempre davanti. Per questo non voglio andare al mare."

Maria le accarezza la mano.

"Sei cocciuta e ti sbagli. Dato che ci pensi, al passato, allora meglio affrontarlo insieme."

# 2.

Sotto l'ombrellone Sabina finge di dormire. Non ne ha motivo, è incinta e può fare quello che vuole, anche giacere inerte mentre intorno a lei tutti si danno da fare. Socchiude un occhio: nella striscia sfocata del mare, corpi di ogni età nuotano, saltano, spariscono, riemergono. Muove la testa in alto verso la villa. La padrona di casa e i due camerieri filippini discutono su dove mettere i tavoli, le torce, il barbecue per la festa di domani. Franco e il regista si sono allontanati per una passeggiata sulla spiaggia.

Hanno fatto bene ad accettare il suo invito, la villa è sulla spiaggia, a due ore dalla città, lei potrebbe partorire da un giorno all'altro. Il regista e sua moglie sono molto ospitali, per Ferragosto hanno invitato anche Emilia e Maria.

La camera in cui dorme con Franco affaccia sulla spiaggia. Durante la notte, quando il mare sale, si svegliano con il rumore delle onde. Rimangono svegli a parlare e si riaddormentano prima dell'alba. Sabina vive in un limbo umido come il suo bambino, non vuole uscirne. Non ha voglia di deporre l'uovo, preferisce tenerlo dentro di sé, pensarlo, accarezzarlo con la mano quando sobbalza. Conta il numero dei singhiozzi che lo scuotono. Appena si sistema sul fianco, lui le dà un colpo. Bum! Allora Sabina si mette supina. Quella posizione piace al girino, ha poco spazio ora. Lo chiama ancora così quando pensa a lui. Loro due condividono il segreto, per questo non vuole che esca. Lì dentro è protetto dai mali della terra.

Si avvicina il giorno della loro separazione e ne ha paura, dei dolori del parto, ma soprattutto di restare di nuovo sola con il segreto. Non ha potuto raccontarlo a Franco. Daniele e Anne le hanno consigliato di farlo sino all'ultimo, anche mentre l'accompagnavano all'aeroporto. Ma lei non ha potuto. Solo il bambino le sembra che sappia, anche se dimenticherà tutto nascendo, per questo le riesce difficile separarsene. Ogni tanto, nelle fantasticherie di donna incinta, immagina che il segreto sia la sua colpa originaria.

Il rapporto che ha con lui le ricorda quello che aveva con Emilia. Parla a qualcuno che non può vederla, eppure si conoscono meglio degli altri. Neanche a Emilia è riuscita a raccontare il segreto. Qualche giorno dopo il suo rientro, Maria le ha confessato la loro relazione. È arrossita, non trovava le parole, ma ha voluto assolutamente che lei lo sapesse. Sabina si è chiesta perché, ne ha dedotto che voleva eliminare ogni possibile concorrenza. Emilia invece non le ha detto nulla, ma Sabina ha deciso di mettersi da parte in ogni caso, di lasciare spazio alla storia con Maria.

Nell'ultimo periodo della gravidanza si sono viste più spesso, una volta Sabina ha avuto l'impulso di raccontarle tutto. Emilia le chiedeva di Daniele, del viaggio. Hanno fatto di nuovo il giro dei ricordi, riaperto le porte della casa dei morti, ma all'interno era tutto cambiato. Dietro ogni angolo c'era il padre. Sabina ora lo vede sempre di schiena, corregge i compiti o, come nel sogno, spegne la luce sul comodino. Il volto le sfugge, anche quello della madre. È stato difficile accomunarla a lui. In ogni caso, anche adesso, la parte più faticosa di tutta la storia è passare dalla pasta con le sarde al racconto di Daniele. Dal padre che applaude al saggio di danza al suo lamento notturno, *Daniele vieni*. Trasformazioni difficili da capire. L'unica cosa che le viene in mente quando ci pensa è una clessidra. Passato l'ultimo granello di sabbia qualcuno la rivolta e tutto ricomincia. Finisce un giorno, viene la notte, ma poi riviene il giorno, si volta di nuovo la clessidra, tutto ricomincia, tutto è accettabile. Ogni tanto cerca di delimitare l'attimo del sorriso del padre a tavola. Si sta complimentando con la madre per la pasta con le sarde, la guarda raggiante, lei arrossisce di piacere, loro due li osservano. Non vede il viso intero, solo il sorriso, e si chiede se sia lo stesso di un padre normale. Pensa di sì, in quell'attimo sono una famiglia, questa è la cosa più difficile da accettare, annulla ogni specificità, non mette niente al riparo. Per questo ha avuto voglia di parlarne con Emilia, lei condivide i ricordi, forse avrebbe potuto aiutarla a capire. Ma ha resistito, non può legarli a sé in quel modo, né lei né Franco.

Tornando in aereo, riattraversando l'oceano, ha capito che non avrebbe potuto fare come il fratello. Non vuole la compassione di Franco. Lui gliel'avrebbe data, forse l'avrebbe amata di più, ma il loro legame sarebbe diventato assoluto. Avrebbe messo tutti gli altri fuori dalla porta, anche il bambino. Così è successo a Daniele e ad Anne. Anne è l'unico essere umano che il fratello riesca a toccare, la sua porta sui sentimenti, sulle emozioni. Sabina non vuole questo da Franco. Vuole essere amata come una donna normale. Solo con il girino può condividere tutto finché galleggia nel suo mare.

Andrà da un medico dopo aver partorito. Deve ricominciare a fare l'amore con Franco. Al suo ritorno lo hanno fatto, ma Sabina non è riuscita ad abbandonarsi, guardava Franco, se stessa, pensava. Franco se n'era accorto, ma la gravidanza aveva messo a posto ogni cosa. È così diverso farlo quando si aspetta un bambino, presto si ha quasi paura di fargli male. Franco si era rassicurato, avevano smesso di farlo.


Hanno camminato sulla spiaggia affollata sino al promontorio, incontrando persone di cinema e televisione, come se la città si fosse trasferita in blocco. Il regista ha salutato qua e là distrattamente, è interessato solo alla conversazione con Franco.

"Dimmi la verità, devi essere onesto con me. Cosa pensi del copione? Mi fido solo di te."

Gli ha detto così all'inizio della passeggiata e non si è parlato d'altro. A Franco il copione non è dispiaciuto, anche se pensa che gli sceneggiatori dovrebbero lavorarci ancora. Sarà un film questa volta, e Franco dovrebbe essere il protagonista. La storia è quella di un regista che si rende conto di non essere capace di girare più niente, l'immagine gli sembra troppo usata, non esprime più nulla di vero.

"La nostra testa è piena di immagini di altri, Franco, non ne abbiamo una che sia solo nostra, creata dal nostro sguardo sulle cose, sui volti, sui paesaggi! Forse anche i ricordi non ci appartengono più. Come può un regista girare qualcosa che abbia una verità?"

Il protagonista cerca allora un altro mestiere, il più umile, il primo che trova, perché in fondo non sa fare altro che film e non vuole chiudersi in un ufficio: raccoglie l'immondizia, va in giro con quei grandi camion nella notte e porta via i rifiuti della città. Quando inizia a lavorare, la puzza immonda, il vapore di tutte le schifezze dell'uomo lo fanno vomitare e pensa di non farcela.

"Nel cinema il fetore non si sente, pensaci Franco. Un'arte che non può raccontare quanto puzziamo!"

Ma alla fine il regista netturbino si abitua a tutto, il suo nuovo lavoro gli piace, è il cavaliere della notte, porta via agli esseri umani la loro sporcizia, dà loro l'illusione di essere puliti come quando escono di casa al mattino. Un giorno, da un sacco rotto cade per strada un orecchino con un brillante. Il regista lo prende in mano, lo guarda, lo pulisce. Quel brillante trovato nella merda gli procura una felicità che non provava da tanto tempo e di colpo sente di nuovo una voglia impellente di girare. Vende il brillante, compra una videocamera e riprende i colleghi, la città notturna, le loro storie.

Certo, Franco gliel'ha detto, a tratti può ricordare Fellini, anche se la crisi creativa del protagonista non avviene in un luogo elegante come le terme ma in mezzo all'immondizia. La citazione non l'ha scoraggiato, gli ha risposto che in fondo a qualcuno ci si deve pur ispirare.

"Sai cosa mi piace di questa storia, Franco? L'idea di raccontare l'uomo partendo dai suoi rifiuti, da ciò che nasconde nei sacchetti dell'immondizia. Forse è proprio la parte più importante di noi stessi, solo conoscendola possiamo migliorare."

Mentre le spirali di ferro del camion triturano, azzannano la schifezza come fauci di pescecane, la collega netturbino, di cui lui si innamorerà, gli racconta la sua vita con il bambino senza padre. Nel boato assordante urlano per udirsi. Tutto il film avrà sempre questo squassante rumore di fondo che rappresenta la fatica terribile, il combattimento per rimanere umani in mezzo alla nostra merda.

"Cosa ne pensi? Dimmi la tua opinione, lo giro solo se tu l'approvi!"

Quell'esaltazione infantile fa sorridere Franco. Per essere registi bisogna essere così: disturbati, narcisisti, insicuri. La storia però è interessante.

"Se smetti di parlare e mi dai la possibilità di piazzare due parole. Sì, trovo che sia una bella storia..."

Il regista lo interrompe subito, felice, lo abbraccia.

"Lo sapevo, lo sapevo che ti piaceva! E non dimenticare il brillante trovato nell'immondizia! Il cinema è questo, deve cercare, pescare nella schifezza per trovare casualmente la bellezza e la verità!"

Non c'è più modo di fermarlo. Sta già girando, qualsiasi cosa Franco dirà è inutile.

"Ascoltami! Bisogna riscrivere i dialoghi."

"Ma certo, li riscriviamo! I tuoi te li scrivi tu! Te l'immagini, Franco, la bellezza della città addormentata, le tute fosforescenti dei netturbini aggrappati al camion, i guanti colorati. Cavalieri della notte che ripuliscono la nostra coscienza! Un po' come hai fatto tu con la mia!"

"Franco!"

Si voltano. Una ragazza sta correndo verso di loro in controluce urlando il suo nome. Non si distinguono i lineamenti del viso, solo il corpo magro, minuto, le gambe da bambina. Si ferma davanti a loro con il fiatone. Franco riconosce Anita.

"Franco! Vi ho visto da lontano, ero in mare!"

Franco le sfiora la guancia con un bacio. Non si vedono dalla sera successiva alla notte in cui hanno dormito insieme. La spiegazione è stata difficile, anche rinunciare al suo corpo.

Il regista fissa Anita senza riconoscerla, seccato per l'interruzione.

"Non ti ricordi di Anita? Faceva la morta in uno dei tuoi telefilm dell'ospedale. Siamo stati anche a cena insieme. "

"Ma certo, che cretino, scusa! Come stai?"

"Bene, sono qui per Ferragosto, a casa di amici."

"Allora domani sera vieni alla mia festa! Porta chi ti pare. Ho prenotato in pescheria un tonno intero, lo mangiamo crudo, e poi spigole, gamberi da fare alla brace!"

Franco lo odia in quel momento, fa lo sbruffone e invita Anita alla festa, con Sabina che non sa niente e sta per partorire.

"Forse Anita ha da fare, ha già un impegno!"

"Ma che impegno! La mia festa è la più bella della spiaggia, non voglio sentire storie! È quella casa lì in fondo, l'ultima del gruppo, con il tetto bianco. Vi aspettiamo, inutile che mi fai sapere quanti siete, c'è da mangiare per tutti!"

Il regista le dà due baci sulle guance per liquidarla e riprendere il discorso sul film. Anita guarda Franco: deve venire o è meglio di no? Franco alza le spalle, vorrebbe dirle qualcosa ma non fa in tempo. Il regista lo porta via. Franco si volta un attimo ancora. Anita è ferma, bagnata, gli sorride. Franco riconosce la fragilità che lo ha sedotto.

"Perché l'hai invitata? C'è bisogno che inviti tutta la spiaggia?"

Il regista lo fissa preoccupato.

"Ho fatto male? Potevi dirmelo!"

"Sì, ora te lo dicevo davanti a lei!"

Il regista gli sussurra confidenziale:

"Cos'è, Franchino, hai avuto una storia con quella?".

"Ma cosa dici, sei pazzo! Non sono mica come te che scopi le attrici e tua moglie sopporta!"

Il regista fa l'aria contrita.

"Hai ragione, sono un pezzo di merda. Mi guardano tutte come un padreterno, tu sai quanto poco me lo merito, e quanto poco lo penso di me, ma chi resisterebbe? La tua attrice, Sabina, è molto affascinante. E poi io adoro le donne incinte, le trovo erotiche."

"La smetti? Non rispetti proprio niente, tu!"

"Non ti arrabbiare! Era una battuta, la trovo bella, una donna vera... l'hai scelta bene."

"Anche tua moglie è molto carina, ma tu la tradisci e non vuoi avere bambini."

"Non sono un angelo, Franco. Ho mai sostenuto di esserlo? Non ho nulla da insegnare a un figlio, sto ancora crescendo io. E penso che fare un bambino, soprattutto per un uomo, sia una decisione importante, devi avere qualcosa da trasmettergli, qualcosa di te, della tua esperienza, anche i tuoi difetti se ti sono chiari. Puoi essere un uomo pieno di difetti e un buon padre. Ma almeno qualcosa di te la devi sapere. Io mi sento confuso, un momento mi pare vera una cosa e il momento dopo il suo contrario. Mi sento un palloncino nelle mani di un bambino che corre troppo e rischia in continuazione di perderlo. Voglio fare un film, almeno uno, di cui andare fiero. E poi per l'uomo non è come per la donna, e mia moglie dice che lo vorrebbe e poi alla fine non lo vuole neanche lei. Siamo degli egoisti, ci piace essere liberi, vivere bene. E tu? Lo senti veramente come un istinto, un tuo desiderio, procreare?"

Il regista è uno sbruffone però dice la verità. Lui invece fa la parte del serio ma mente. Ha mentito prima, ha mentito a Sabina non dicendole nulla. Dovrebbe cercare di essere sincero almeno con lui che vuota il sacco così facilmente.

"No, certo che non lo sento ancora, cosa ne so? Amo Sabina, ma è stata lei a deciderlo senza neanche dirmelo. Però ci pensavo qualche volta guardandola. Il suo viso mi faceva pensare a un bambino, a una bambina soprattutto, forse a lei bambina. Mi divertiva, non so perché, il pensiero di andare in giro con una piccola Sabina, leggerle un libro, comprarle un vestito. È una cosa buffa, non c'entra molto con le certezze di cui parlavi prima."

"E invece avrai un maschietto."

"Sì, e ora mi piace l'idea, anche lei è contenta. Preferiva un maschio, lo vuole chiamare come il fratello. Daniele è un bel nome. Dicono che i figli maschi ti fanno andare avanti di colpo o ti affossano, vedremo. "

"A te succederà la prima delle due cose, non dimenticarti il nostro progetto, il film! Anzi, il protagonista lo chiameremo Daniele, che ne dici?"

Franco lo guarda: quanto è diverso da lui quell'uomo!


"Un tonno intero appeso! Non trovi che il tuo regista si crede un po' Hemingway?"

Sabina esce dal bagno con l'accappatoio, un barattolo di crema in mano, guarda Franco che fuma steso sul letto.

"Non direi, non si crede un granché, sai. Ma ha scritto un film non male, vorrei che tu lo leggessi."

"Certo, lo leggerò."

Sabina apre l'accappatoio, stende la crema sulle gambe, sul ventre. Franco la guarda.

"Non ce la fai più, eh?"

Sabina si volta stupita.

"Perché? Mi sento benissimo, un po' appesantita nei movimenti ma sto bene."

"Volevo dire, forse hai voglia di riavere indietro il tuo corpo."

Sabina gli sorride, lascia la crema, gli va vicino.

"Forse sei tu che ne hai voglia?"

"Tu no?"

Sabina lo abbraccia.

"No, non tanto. Mi piace essere incinta."

186

Franco la stringe a sé, sta zitto, fuma. Sabina lo accarezza.

"Sono contenta di non essere uscita anche stasera, domani faremo tardi. E avevo voglia di passare una serata sola con te."

"Anch'io. Emilia e la sua amica quando arrivano?"

"Domani mattina."

Sabina lo guarda.

"Ti scoccia?"

"Per niente. Sono contenta che Emilia abbia trovato l'amore, è merito tuo."

"Maria è una donna intelligente, era anche bella, adesso si è un po' sciupata. Te l'ho detto che il marito l'ha lasciata per un'amica della figlia... trent'anni di differenza."

Franco spegne la sigaretta.

"Dev'essere stata dura per lei."

"Il dramma della sua vita. E per chi non lo sarebbe?"

Franco le dà un bacio sui capelli bagnati. Sono ricresciuti, Sabina li tiene legati per avere libera la nuca e non sentire caldo.

"Sì, certo, anche se succede in continuazione."

Sabina lo guarda di nuovo.

"Cosa?"

"Uomini che si sentono invecchiare e si mettono con donne che potrebbero essere loro figlie."

Franco si tira un po' su. Sabina non lo guarda.

"Secondo te perché succede così spesso?"

"Non lo so, una debolezza maschile."

Sabina fissa il mare dalla finestra.

"Un vizio?"

"Non esageriamo. L'uomo è attratto dalle ragazze giovani, ma ci sono altre cose che lo trattengono. Di cosa puoi parlare con un'amica di tua figlia?"

Sabina riprende a stendere la crema.

"Non parli, ci scopi e basta."

Franco si alza, raccoglie i vestiti su una sedia.

"Probabilmente."

"Per questo penso che si dia troppa importanza al sesso, lo fanno tutti."

Lui si volta, la guarda. Sabina alza lo sguardo su di lui.

"Ammettiamo che il sesso sia una cosa orrenda..."

"Non ho detto questo."

"No, ma ammettiamolo, in ogni caso è una cosa che tiene

molto impegnata l'umanità, no? Non si può liquidare con due parole."

"Perché ti arrabbi?"

Franco le sorride, si avvicina per una carezza.

"Non mi arrabbio, tesoro."

Sabina sente montare una rabbia immotivata per quel gesto. Scosta il viso, chiude il barattolo della crema, si copre. Franco la guarda.

"Sei tu che ti arrabbi."

Sabina va accanto alla finestra, fissa il mare grigio prima della notte.

"Non è colpa mia se è difficile fare l'amore in gravidanza."

Franco le va vicino.

"Perché mi dici questo?"

"Penso che ne hai voglia, anche se non me lo dici."

Lui la fa voltare.

"Certo che ne ho voglia, ti piacerebbe se non ne avessi? Ho anche voglia di toglierti questo peso dal corpo. Fai fatica a muoverti, a nuotare, ad abbracciarmi. Voglio rivedere Sabina e voglio conoscere il mio bambino, è un male?"

Sabina lo abbraccia, baciandogli il collo abbronzato mormora:

"Lo vedi che anche con la pancia riesco ad abbracciarti?".

Franco le tocca il ventre sotto l'accappatoio.

"Non abbiamo ancora comprato nulla... dove lo mettiamo a dormire? Non credi che siamo stati un po' incoscienti?"

"Maria mi ha regalato quello che serve per i primi giorni, ha una passione per i neonati, mi insegnerà tutto. Quando nascerà gli compreremo il lettino, non mi va di farlo prima, porta male."

Si tengono stretti, poi Sabina si scosta, lo guarda.

"Dimmi una cosa, poi non ne parliamo più. Anche a te piacciono le ragazzine?"

Franco arrossisce, sorride.

"Mi piace la mia ragazza e basta."

Sabina sente un gelo nella schiena, pensa che qualsiasi cosa le abbia nascosto almeno è arrossito.

"Perché arrossisci?"

Franco si libera dall'abbraccio.

"Arrossisco, figurati! Mi fai un interrogatorio? Sei diventata così moralista, così indagatrice! Cosa ti è successo, eh? Anche desiderare di fare l'amore è una colpa per te! Solo pensare che vorrei rivedere il tuo corpo! Non fai l'amore con me in modo decente da almeno nove mesi e non te ne importa niente, non ci pensi neanche! Ormai è diventato solo un argomento imbarazzante! Cosa dovrei dire io? Sei tu a essere anormale, non io!"

Sabina si siede sulla sedia accanto al letto. Il ventre tira in giù, sente il peso fra le gambe. Deve radunare i pensieri. In modo pratico si chiede se deve chiedere, dire o fermarsi lì.

Franco si siede sul letto, si è acceso una sigaretta. Che cretinata arrossire come un bambino. Meglio aspettare una sua mossa, forse non tutto è perduto. Sabina gli sorride in modo pericoloso, ha gli occhi lucidi.

"Sai cosa credo, Franco?, che non ci siamo detti tutto tu e io, dobbiamo farlo prima che nasca il bambino. Non avere paura, anch'io ti ho mentito."

Le associazioni nella mente di Franco vanno veloci. In America era già incinta, lei che fa tanto la moralista, per questo non ha voluto fare l'amore. Che stronzo che sono!

Ha ragione lui, pensa Sabina, sono diventata una moralista, uso la gravidanza, il bambino, per difendermi dal suo desiderio. Non gli ho detto niente, questo è il punto.

"Franco, cosa è successo quando ero via?"

Qualcuno l'ha toccata! E lei aspettava già il mio bambino!

"Una sera mi sentivo solo, ho riaccompagnato a casa una collega."

"Avete fatto l'amore?"

"Sì, una volta."

"A casa sua?"

"Sì."

Sabina fissa le sue mani raccolte in grembo. Non sente dolore, non prova gelosia, solo stanchezza, pensa che non riuscirà più ad alzarsi. È una statua bianca come quelle che si mettono in giardino nude, tra gli alberi, come le statue del Parco dei Daini, fratturate, senza un braccio, una gamba, il mento, un seno. Si sente così in quel momento.

"E tu?"

La gelosia gli stringe lo stomaco.

Sabina deve trovare parole calme per metterlo a parte del segreto. Capire sarebbe difficile per chiunque, tutti ammutolirebbero davanti a una storia del genere, come si trovassero davanti a una malata grave o a una morta.

"Senti, è una cosa molto diversa da quella che è successa a te. Cerca di essere razionale, distaccato, se puoi; non pensare a me come a una malata, non lo sono. Sono sopravvissuta, si sopravvive, succede a molti, è successo anche a mio fratello. Non volevo parlartene ora, forse non te ne avrei parlato mai. Ma è meglio così, che ti sia capitata quest'avventura mentre io ero via. Tanto non so se ce l'avrei fatta in ogni caso a non dirti niente, a vivere insieme, a fare di nuovo l'amore dopo la nascita del bambino."

Sabina alza gli occhi su di lui.

Sopravvissuta a cosa? Perché mi guarda in quel modo? Cos'ha fatto se non mi ha tradito?

Nelle pupille blu scuro, dilatate per la gravidanza, Franco coglie frammenti ancora non decifrati della spiegazione evitata, il viaggio, le lettere, la fotografia della bambina con il gattino in braccio che tiene nel portafogli.

"Vorrei che tu mi ascoltassi senza interrompermi."

Franco annuisce. Sabina abbassa di nuovo lo sguardo sulle sue mani. Da dove cominciare?

# 3.

Sulla spiaggia sembrano un gruppo di naufraghi, camminano vestiti, sudati, tra i bagnanti di Ferragosto, ogni tanto urlano
il suo nome. Emilia si appoggia a Maria; il regista corre dietro a
Franco. I bagnanti si fermano, escono dal mare, li guardano,
chiedono:
"Chi avete perso? Una bambina? In mare? Quando è successo?".
Allora raccontano di nuovo la storia, la descrivono. E a
Franco viene da piangere, si sente un cretino.
"È una donna incinta di nove mesi. È sparita, ce ne siamo
accorti questa mattina. L'avete vista? Ha il viso tondo, gli occhi
blu, i capelli sulle spalle. È bella, sì, molto bella. L'avete vista?"
Franco corre, il regista cerca di stargli dietro.
"Franco, ascoltami. La ritroviamo, cosa può essere succes-
so? Una donna incinta, non può esserle successo niente di gra-
ve, avete litigato, tornerà."
"Non abbiamo litigato!"
"Cos'è successo, allora?"
Franco non risponde.
Maria bestemmia contro Emilia, la sostiene per un braccio:
"Che cavolo sei venuta a fare? Come puoi pensare di aiu-
tarci tu?".
Emilia non l'ascolta, è folle di rabbia contro Franco. Non
sa niente di preciso, ma è convinta che lui c'entri qualcosa con
la fuga di Sabina.
"Come mai se n'è accorto solo stamattina?"

"Hanno dormito separati. È andato nella sua stanza stamattina, non c'era più."

Emilia si ferma, Maria la guarda.

"Ascolta, Maria, questa fuga... non ti viene in mente niente?"

"Cosa?"

"Il libro, quello che mi stava leggendo prima di partire."

Maria guarda il mare, pensa a Carla, la fuga, il viaggio.

"È fuggita, ma perché?"

"Torniamo indietro, Sabina starà fuori finché vuole, si farà viva lei. Non serve a niente questa corsa, non serve a niente cercarla. Vuole stare per conto suo. Torniamo indietro."


Franco e il regista sono arrivati davanti al promontorio. Franco si lascia cadere sulla sabbia. La folla è nell'acqua, sulla spiaggia, ma lei non c'è.

"Dobbiamo cercarla di nuovo sulla strada, ritelefonare agli ospedali."

Il regista si siede accanto a lui.

"Faremo tutto. Ma prima mi devi dire cosa è successo tra voi, è importante Franco, per capire dove può essere andata."

Franco alza su di lui uno sguardo freddo, poi torna a fissare la folla. Stanno zitti, nel boato sordo delle voci, bucato dalle urla, richiami, strilli di gioia, risate, pianti di bambini. Franco deve alzare un po' la voce per farsi udire.

"Pensiamo di sapere tante cose, leggiamo i giornali, poi li chiudiamo, li gettiamo via, ci diciamo: poveretti, come faranno a vivere ogni giorno? Come possono esistere certe cose? Dove vivono queste persone? Accanto a noi, te lo dico io. Vittime e carnefici sono mischiati in mezzo a questa folla di corpi. Ci ho pensato tutta la notte, volevo andare a dirglielo, ma mi aveva chiesto di lasciarla dormire da sola. Non volevo disturbarla. Volevo dirle quello che avevo capito di lei, di me, di noi tutti."

Il regista non chiede, non interrompe. Franco gli è grato, abbassa la testa.

"Stamattina, quando sono entrato nella sua stanza, non volevo abbracciarla... ne avevo una voglia terribile ma non l'avrei toccata. Volevo solo ragionare di quello che mi aveva raccontato, parlarne, sembra poco ma è tantissimo... "

Le lacrime cadono sui pantaloni ciancicati. Franco per

qualche secondo non riesce a parlare. Il regista gli mette una mano sulla spalla. Franco lo guarda.

"Sono importanti le parole, che altro abbiamo?"


Se stringe le gambe, se le accavalla, il bambino non uscirà, non ora. Il tempo non è scaduto. Ha preso un treno vuoto. La stazione, gli scompartimenti sono deserti. La gente sta sulle spiagge a Ferragosto, non sui treni. Ha incontrato un barbone, dorme in uno scompartimento di seconda circondato da sacchi di plastica. Una signora anziana in uno di prima lavora a maglia. Sabina è entrata nello scompartimento accanto al suo, ha chiuso le tendine, la porta, si è allungata sui sedili di velluto, ha cominciato a sudare, ogni tanto ha delle piccole fitte. C'è tempo, glielo hanno spiegato in ospedale. Non ha perso sangue né liquido, i primi dolori sono solo avvisaglie, il parto avviene giorni, settimane dopo. Si ha sempre troppa fretta. Lei no, non vuole che nasca. Si è addormentata per una mezz'ora e ha sognato.

La signora che lavora a maglia è sua madre, sta preparando un golfino per il nipote in arrivo, penserà lei a tutto. Sabina non deve preoccuparsi di niente, con una madre accanto non si è soli. Lei le dirà cosa fare, quando è il momento di spingere prenderà il bambino in modo che non cada sul pavimento sporco dello scompartimento. Ha già steso sul sedile un lenzuolo di lino bianco, riempito un catino d'acqua. Piegati da un lato ci sono i vestitini. Manca solo il golfino che sta terminando. *Fai presto, fai presto mamma, se no il bambino nasce!*

Si è svegliata, i capelli zuppi appiccicati al velluto sporco del sedile. Ha respirato finché è durato il dolore. Poi ha ripensato al sogno e si è sentita in una solitudine assoluta. Le è venuto da piangere ma ha ricacciato indietro le lacrime. Tutte le donne sono sole quando partoriscono.

Tira su la testa. Dal finestrino vede scorrere ancora la striscia del mare che ha appena lasciato, non ci vorrà molto per arrivare, a Roma prenderà un taxi e andrà in ospedale a farsi visitare. Cerca di mettersi a sedere ma è troppo stanca. Non ha chiuso occhio tutta la notte, nessuna posizione funzionava. Non riusciva a dormire, ripassava nella mente le parole che aveva usato per raccontare la storia a Franco, le pareva di essere stata chiara, distaccata, non aveva pianto, gli aveva detto tutto senza emozioni. Mentre parlava le era venuta l'idea di andarsene. Non avrebbe più recuperato lo sguardo di Franco, quello di prima della confessione, distratto, innamorato, talvolta duro. Ora la fissava con stupore e pietà, ammutolito, annientato. Così doveva andarsene, stare da sola con il bambino fra gente sconosciuta.

Con la mano tocca la valigetta accanto a lei, l'ha preparata da tempo: i vestitini del bambino, le camicie da notte aperte davanti per allattare. Appena sarà nato partirà. Ecco perché non ha comprato il lettino, se ne andranno insieme da qualche parte, forse in montagna al fresco. Daniele le ha mandato dei soldi, nella lettera diceva che non sarebbe riuscito a venire. Quando nascerà il bambino si chiamerà come lui, ma ancora non vuole vederlo, non si sente pronta, ha paura che le somigli e le ricordi il padre. Le è tornata in mente una fotografia del padre da bambino, in calzoncini corti, al mare. Sembrava una femmina, con i ricci, il sorriso, i suoi stessi occhi blu, ignaro del futuro. La madre teneva la fotografia sul comodino, diceva che il padre era stato un bambino bellissimo, il più bello di tutti. Sabina non vuole averne uno che gli somigli, preferisce il viso senza sorrisi del fratello, l'espressione inquieta di Franco. Ma con il passare dei mesi le fantasticherie su di lui hanno finito per coincidere con la fotografia.

Se chiude gli occhi, anche adesso, il bambino riccioluto, sorridente, in calzoncini corti, le è davanti minaccioso. Ha analizzato i suoi sentimenti riguardo al padre da bambino e ne ha concluso che non può odiarlo, che non era responsabile di quello che sarebbe diventato. Eppure la fotografia la infastidisce, la bellezza, il sorriso, gli occhi uguali ai suoi. L'idea che il suo bambino gli somigli è diventata sempre più imminente con il progredire della gravidanza. Se resta dentro non corre il pericolo di essere simile a nessuno. Per questo Sabina non vuole che nasca, non si sente pronta ad accettarne le somiglianze, vuole amarlo come ora, cieco, invisibile, al sicuro, chiuso nel suo mare.

Il vestito le si è appiccicato alle cosce, sta bagnando il velluto del sedile, un liquido tiepido le cola tra le gambe. Dev'essersi rotta l'aria condizionata, fa troppo caldo. Sabina infila con discrezione una mano sotto il vestito, sente il bagnato. Le si sono rotte le acque, forse nella corsa verso la stazione sul lungomare deserto del primo mattino. La perdita delle acque è l'unica causa d'urgenza insieme al sangue. Deve alzarsi, andare a chiamare qualcuno. Ma chi? È chiusa nello scompartimento di un treno deserto con un caldo maledetto, in compagnia di un barbone addormentato e una signora misteriosa che sferruzza. Cosa sferruzzerà in quel treno a Ferragosto? Sabina guarda la maniglia del freno d'emergenza, è così lontana, difficile da raggiungere. Chiude gli occhi, c'è tempo, il treno li culla piano tutti e due.

La donna sferruzza un golfino per il bambino riccioluto. Non per il nipote ma per il marito che è rimasto piccolo come nella fotografia. La madre lo protegge, lo accudisce, non ha tempo per il bambino di Sabina. Il padre-bambino è seduto di fronte a lei, la guarda sferruzzare, sorride trionfante, la madre è solo sua. Quando Sabina apre la porta dello scompartimento per chiederle aiuto, il bambino si volta, le sorride. *Vieni Sabina, vieni con noi, siediti.* Com'è inopportuno quel bambino, lei ha fretta, chiama la madre, devono scendere dal treno, farlo fermare, c'è un bambino vero che sta nascendo! *Mamma, mamma!* La madre sferruzza, sferruzza, alza un momento lo sguardo dolce su di lei. *Ho da fare, questo bambino bello mi dà tanto da fare, vai a chiedere aiuto all'uomo nello scompartimento accanto, lo riconoscerai, ha in mano una matita rossa e blu, vedrai che ti aiuterà.* Sabina si sveglia. Di nuovo il dolore lontano le tira il ventre fra le gambe, ha pianto nel sonno.


Si muore di caldo nel soggiorno della villa, ma nessuno dei tre ha voglia di fare un bagno. Dalle finestre aperte seguono il viavai dei camerieri; tavoli, sedie viaggiano da dentro a fuori. La festa non si è potuta rinviare. Il regista non ricorda neanche chi ha invitato, ci sono il tonno intero e i quintali di pesce già ordinati. Franco, Maria ed Emilia non sanno cosa fare. Tornare a Roma e aspettare, rimanere lì?

"Se è andata a Roma, dovremmo tornare. Ma se invece è rimasta qui e ci chiama, o ci chiamano perché l'hanno trovata?"

Maria parla, gli altri due stanno zitti. Franco fuma, Emilia stropiccia con due dita una piega della gonna leggera. Maria li guarda.

"Prendiamo una decisione?"

Nessuno dei due le risponde. Maria si infuria.

"A cosa state pensando, volete dirlo!"

I due si scuotono. Franco la fissa stupito.

"A niente, a quello che dicevi, se bisogna tornare a Roma o aspettare qui. In fondo è la stessa cosa. Per Roma ci vogliono due ore. Ma potrebbe anche essere andata da qualche altra parte, aver preso un treno, chiesto un passaggio..."

Franco guarda Emilia.

"Tu cosa pensi, dobbiamo andarcene o restare?"

Lei parla lentamente:

"Perché se n'è andata, Franco?".

Franco aspira il fumo della sigaretta, tace. Maria lo guarda, poi si volta verso Emilia.

"Sono fatti loro, perché lo vuoi sapere?"

"Per cercare di capire dove può essere andata, solo per questo. Non certo per farmi i fatti loro."

Franco spegne la sigaretta, si alza, va verso la finestra.

"Non so se vuole che te ne parli, è a questo che stavo pensando prima. Ma so quanto è legata a te, siete amiche da tanto tempo. Tu hai conosciuto bene la sua famiglia, no?"

"Abbiamo condiviso tutto fino... direi fino a quando ti ha incontrato."

Franco si volta verso di lei, le si siede accanto, lancia uno sguardo a Maria che si accende una sigaretta.

"Vado a farmi un bagno."

Emilia si volta verso di lei.

"Aspetta, dove vai?"

"Sono un'estranea, la conosco solo sul lavoro. Non voglio sapere segreti in sua assenza. Mi sento a disagio."

Maria esce dalla stanza. Emilia tace qualche secondo. Se ne vada pure, chi se ne importa. Sabina, solo lei conta, ha sempre contato più di tutto, ora lo sa.


Si è gettata nel ribollio del mare, non c'è uno spazio libero fra i bagnanti. Si tocca ancora, ma Maria nuota lo stesso, con la testa sotto per non sentire le voci della folla. Batte con rabbia il pelo dell'acqua, passa sfiorando corpi sudati e urlanti, sul fondo saltellano piedi e gambe di tutte le età. Li odia, odia la folla, Emilia, Franco, Sabina. Chi può capire sino in fondo una donna incazzata? Incazzata, estranea a tutto, fissa con il pensiero al giorno in cui il marito le ha aperto la vita in due. Gli anni felici del matrimonio, della maternità. Quelli di quest'età matura, avvelenati, pesanti, chiusi come la pietra che ha nel cuore. Allontanarsi da loro come ha fatto Sabina, nella solitudine capire qualcosa di sé come la donna del libro. Non essere più dipendente dall'amore, ricerca, esaltazione, delusione. Trovare qualcosa che raggrumi su di sé la passione dell'anima e del corpo. Maria nuota veloce, il corpo magro la porta lontano. Le voci a poco a poco si allontanano. Quante ne ha ascoltate, registrate nella sua vita. Vomita voci umane, intonazioni, toni, lunghezze. Voci che si devono adattare ai volti, così le sembra la vita, come il suo lavoro. Ma non è ancora riuscita ad adattare la voce del marito, mentre le racconta l'avventura con l'amica della figlia, al suo volto, lo stesso che lei ha amato. Una voce sconosciuta. Se ci fosse riuscita avrebbe smesso di essere incazzata. Come si può credere ancora in un sentimento, in un'amicizia? Si diventa diffidenti, arcigni, con le antenne puntate a ogni cambiamento di tono. Come prima, quando Emilia parlava di Sabina. Niente è più naturale. Ci si sente rifiutati per sempre. In ogni situazione spunta fuori la scena della confessione, gli occhi del marito, gli stessi di una vita e quella voce che non c'entra niente. Da dove viene fuori? Quale attore sta doppiando l'uomo gentile, tenero, intelligente, il padre di sua figlia? Quella scena ha inquinato il passato, il loro incontro, la vita insieme, la nascita della bambina, il futuro. Su ogni relazione c'è l'ombra della voce che esce fuori all'improvviso e dice cose insensate. *È giovane, ha diciott'anni, ma è già una donna, sai. È molto intelligente, è più matura di Carolina. Non penserai che sono un pervertito? Voglio vivere quello che mi resta della vita con lei. Cosa vuoi da me, Maria? Che invecchi accanto a te?*

Nuota ancora, chissà quanto si è allontanata dalla riva, da loro. Non ha voglia di tirare su la testa dal silenzio rassicurante in cui è immersa. *Togli il sonoro.* Lo dice al fonico quando l'attore è pronto a sostituire la sua voce all'originale. E se anche la voce doppiata fosse originale? Se ce ne fossero sempre, in ogni individuo, almeno due, quella che percepiamo come giusta, veritiera, di ogni giorno, che a forza d'abitudine ci sembra quella vera, e l'altra che esce fuori di tanto in tanto dall'abisso di ognuno? Maria apre gli occhi sott'acqua. In quel mare non nuotano più pesci, ci sono troppi uomini. Le viene in mente, forse l'ha vista in televisione, una gigantesca, pesante, tartaruga marina. Nuotava sul fondo di un mare tropicale. Faticosamente avanzava nelle profondità, nel buio, come un neonato prima di venire alla luce, ogni tanto guardava in alto, sembrava misurare la distanza dalla superficie luminosa dove sarebbe stato tanto più facile muoversi. Il suo ambiente era quello, non poteva trasformarsi in una tartaruga di terra, poteva solo occhieggiare di tanto in tanto il paradiso abitato da sorelle più evolute, sentire che esisteva un altrove, senza conoscerlo. Così è per noi, al contrario: viviamo fuori dall'acqua, ma lì sotto c'è un'altra Maria che arranca, ogni tanto si ferma e mi guarda.

Maria riemerge; il tuono delle voci umane, dei motori delle barche rimbomba nelle orecchie abituate al silenzio. Guarda la costa occupata da migliaia di formiche, l'infinitesimale casina bianca dove ha lasciato Emilia e Franco a discutere. Pensa a Sabina, alla sua fuga, al bambino che aspetta, al segreto che non ha voluto sapere.


"Ma sei un uomo anche tu! Come può esserci una spaccatura così estrema nel comportamento di un uomo?"

Franco si accende una sigaretta. Forse non doveva parlarne proprio con lei, una lesbica innamorata di Sabina.

"Anche la madre sapeva. La sera, quando il padre chiamava il bambino, lei in cucina correggeva i compiti, fingeva di non sentire. Questa spaccatura tu la puoi capire come donna?"

Tacciono.

"Dammi una sigaretta."

Franco la guarda stupito.

"Ma tu non fumi."

"Una ogni tanto."

Franco le accende la sigaretta, Emilia riesce ad arrivare subito alla fiamma dell'accendino. Lentamente aspira due boccate.

"Sì, penso che la madre abbia potuto coprire il padre. Lo adorava, faceva di tutto perché non litigasse con il figlio. Penso che si sia convinta che quello che accadeva di notte non era poi così terribile. Una donna si può convincere di questo per l'uomo che ama, per la famiglia. Può sacrificare un figlio perché tutto rimanga al suo posto, per alzarsi con la certezza che anche quel mattino penserà a cosa si mangia a pranzo, a cena, alla spesa da fare, alla cura dei figli, del marito. La perdita di queste certezze le è intollerabile. Deve proteggere il nido da chiunque voglia distruggerlo, anche se l'assalitore ci abita. La donna ci si mette su e cova, copre con le ali le uova rotte, nasconde il disastro. Una donna può essere così, anche così."

Franco la guarda fumare da inesperta. Un pensiero strano lo turba all'improvviso. È una donna intelligente Emilia, troppo intelligente perché un uomo si innamori di lei.

"Volevi sapere come un uomo può arrivare a tanto? Ci ho pensato. Se hai cinquant'anni e ce la fai a scopare con una bambina di tredici, te la vai magari a cercare in un paese esotico perché ti vergogni, o invece aspetti che cresca un po' e te la sposi, così la gente non ci pensa più, allora puoi fare qualsiasi cosa. Basta non riflettere che potrebbe essere tua figlia, basta non pensare che *è* tua figlia, ma è proprio quello a cui pensi, perché è per questo che lo fai. Un uomo può essere anche così. Il padre doveva essere una persona intelligente, proprio questo è il punto. L'intelligenza, la cultura non ci mettono al riparo, neanche la coscienza in fondo, di quale parte di noi siamo coscienti? Allora cosa ci resta? Chi ci dà il limite?"

Il dolore è uno spasimo del corpo, un vortice che tira il ventre a terra. L'acqua gocciola ancora fra le gambe mentre il treno entra in stazione. Non può chiamare nessuno, non ha la forza, non vuole. Vuole stare lì, su quel sedile fetido e bagnato, la sua cuccia. Ha pensato, dormito, sognato. Il treno corre indietro nel tempo, l'ha portata in posti remoti, abitati da esseri che si trascinano a quattro zampe, donne che si nascondono nelle caverne e partoriscono lontano dal branco. Lo scompartimento è la sua caverna. Gettata sul sedile, urla, si contorce, aspetta, dovrà fare tutto da sola, forse morirà. Non può ritardare l'arrivo del bambino. L'ha capito quando i dolori sono diventati punte di pugnale che bucano il ventre, confondono i pensieri, tagliano il respiro. Il bambino è pronto per venire fuori, inutile stringere le gambe o addormentarsi, ha una forza sovrumana. Sarebbe bello non scendere dal treno che corre, farlo nascere nel movimento, in nessun posto, fra un luogo e l'altro, così che non appartenga a nessuno, neanche a lei. Sul treno non ci sono generalità, genealogie.

Sabina ha sognato di portare nel ventre il bambino di un'altra donna, una sconosciuta. Glielo ha deposto dentro prima di morire, le ha raccomandato di portarlo per i nove mesi senza spazientirsi, di sopportare i dolori del parto e di amarlo come fosse suo. *Vedrai, sarà un bambino buono, straordinario, non ti darà fastidio. E se lo ami, anche Franco si attaccherà a lui. Non dirgli che non è tuo, subito non capirebbe, glielo dirai dopo, quando si sarà affezionato.* Per Sabina invece è chiara l'importanza di quel lascito: il bambino di un'altra è ancora più importante del proprio, bisogna allevarlo con cura, amarlo, rispettarlo, perché è stato concepito da una donna e un uomo che non ci sono più. Sono morti in un cataclisma, un maremoto che ha sconvolto la terra, ha lavato vizi, colpe, vergogne, paure. La forza dell'acqua ha portato via uomini, piante, case, animali, specie estinte, vecchie, incapaci di sopravvivere. Ha trascinato via, avvinghiati come i morti di Pompei, i genitori del bambino. Lei lo ha ereditato. Non somiglia né ai vivi né ai morti. Non è il risultato della scopata di quella sera con Franco. È qualcosa di molto più importante, le è stato annunciato in sogno da una donna morta, è l'unico bambino superstite. Sabina e Franco dovranno crescerlo come il re del pianeta nuovo, quando l'acqua si ritirerà a poco a poco e nuove specie cresceranno insieme a lui. Sarà loro, ma mai sino in fondo. Niente è più naturale nel pianeta nuovo, che felicità! Tutto è in prestito come il loro figlio, va costruito con forza e tenacia, come l'amore per quel bambino non loro. Tutti i branchi sono stati dispersi, distrutti per sempre dalla forza dell'acqua.

Il treno si è fermato. C'è silenzio in stazione, è Ferragosto. Non ha la forza di alzarsi, tira su la testa, dagli spiragli dei vetri coperti dalle tendine scorrono frammenti dei pochi passeggeri che scendono. Tra loro ci saranno anche la donna che lavorava a maglia, il barbone. Sabina urla senza voce, agita una mano. Nessuno pensa che ci sia una persona dietro le tendine chiuse. E di nuovo ora c'è vuoto, silenzio. Alla fine qualcuno si affaccerà allo scompartimento, dovranno pulirlo, forse domani, quando lei e il bambino saranno morti. Voci lontane sulla banchina, il dolore urla di nuovo, più forte del precedente. Saranno sempre così, uno più squassante dell'altro. Le stanno aprendo l'utero con un coltello. Non lamentarti, non piangere, il bambino deve uscire! Sabina piange. *Franco, aiutami, portami via da qui, non lasciarmi sola! Il bambino, devi controllare se ha tutto, se sta bene, non ce la faccio più!*

Perché succede questo? Perché è sola? I genitori sono morti, meglio così. Ha lasciato Franco, ora vorrebbe averlo vicino. Ma chi è vicino a questa cosa che le sta capitando? Chi conosce l'orrore? Svanisce, ma è uno scherzo. Lo fa ogni tanto: va via, sembra per sempre, e poi ricomincia più terribile di prima. Di

200

nuovo l'artiglio della bestia. Si conficca senza pietà, nessuno può staccarlo. L'unghia spinge nella carne viva, non molla! *Franco!*

Un viso di uomo, la sua mano sulla fronte. Ha un cappello in testa, occhi neri la guardano senza paura, le accarezza il viso, le parla. Sabina non capisce, ma il tono della voce è così rassicurante. Arriva il dolore, lui le tiene il viso sollevato. *Respira, respira.* La mano ha il palmo ruvido. Sabina l'afferra, la bacia. Il padre, il suo vero padre è arrivato finalmente, è salva.

# 4.

L'auto corre sulla strada deserta e sbiancata dal sole, supera auto ferme accanto a chioschi di gelati e angurie. Franco guida veloce; Maria, dal sedile posteriore, gli ha chiesto più volte di rallentare, ma lui non ascolta, corre verso l'ospedale, vuole arrivare in tempo.

Emilia seduta accanto a lei non parla. Pensa a Sabina, a Daniele, ai ricordi della loro giovinezza riemersi come presagi non ascoltati, alle domande di lei prima di andare in America dal fratello; ai silenzi nei pomeriggi in cui Sabina, incinta, andava a trovarla. Sedute in cucina, Emilia parlava, raccontava le sue giornate, evitava di sfiorare l'argomento Maria. Sabina non chiedeva niente, ogni tanto sospirava, Emilia pensava fossero le nausee, il peso del bambino. Si chiede come riuscirà a non farle capire che sa, e pensa che essere cieca in quella situazione sia una fortuna. Ma dovrà stare attenta alla voce, che non esca diversa dal solito, incrinata dalla tenerezza nuova che sente per lei.

Il regista, accanto a Franco, parla per tutti, stende fra loro un provvidenziale tappeto di parole inascoltate. Ora è al telefonino, impartisce ordini per la festa.

Maria evita di guardare Emilia, sa che Sabina le si è conficcata di nuovo nel cuore. Il loro amore è finito, si lasceranno, lei raggiungerà la figlia e il suo fidanzato che sono in vacanza non lontano dalla casa del regista, farà la mamma, la donna della sua età mollata dal marito, un domani la nonna. Ogni cosa torna al suo posto.

Il regista chiude la comunicazione, guarda Franco.

"Franchino, vogliamo arrivare vivi? Gli servirà un padre vivo a questa creatura, non pensi?"

Franco rallenta.

"Non capisco perché sei voluto venire! Hai la festa, la gente che viene, il pesce da tagliare!"

"E non ti preoccupare, faccio tutto! Ti pare che ti lasciavo solo..."

Si volta a guardare le donne.

"E poi nessuno di voi tre ha una macchina che fa più di cento all'ora. Sarò un regista di merda, ma almeno un po' di soldi li ho guadagnati. Ti piace guidare la mia macchina, eh?"

"Non glielo dica per favore, che riprende a correre!"

Maria vorrebbe strozzarlo. Il tipo di maschio che non le fa rimpiangere gli uomini. Il regista si volta verso di lei.

"A mia moglie piacciono le auto veloci. A lei no?"

"Non me ne frega niente, purché camminino." —

"Un atteggiamento intellettuale."

"Sarà."

Il regista lancia uno sguardo a Franco, fissa la strada.

"Parliamo di qualcosa! O dobbiamo stare zitti come se stessimo andando a un funerale? Sabina è in ospedale, se ne stanno prendendo cura, non ha ancora partorito. Non è morto nessuno, sta nascendo un bel bambino, un evento di questi tempi!"

Il regista si volta di nuovo verso Maria.

"Lei ha figli?"

Maria sbuffa.

"Una, grande."

"Allora è sposata?"

"Ero."

Il regista torna a guardare la strada, ma dopo un attimo si gira di nuovo.

"Scommetto che è lei che lo ha lasciato."

Come ci si difende da uno così? Solo strozzandolo. Maria si accende una sigaretta.

"Non le fa male al collo girarsi in continuazione?"

Il regista ride di gusto.

"Adoro le donne come lei! Apparentemente dure, ma in realtà tenerissime e passionali, molto passionali!"

Franco gli lancia uno sguardo.

"Smettila!"

Il regista lo guarda con aria colpevole, Franco sa come farlo sentire in colpa.

"Perché? Cos'ho detto? È un complimento essere passionale, o no?"

Si volta di nuovo verso le due donne. Sul viso di Emilia c'è un sorriso impercettibile che lo incoraggia.

"Lo sa perché l'ho capita così bene?"

"Se lo dice lei."

"Perché il mio grande amore era una donna così, dura e passionale. Siamo stati insieme dodici anni, avevo imparato a smontarla ogni volta che metteva la corazza. Se rispondeva male, voleva una carezza; se mi aggrediva, voleva fare l'amore; se piangeva, voleva essere sgridata. La capivo al volo, lei aveva finalmente trovato un uomo che la rendeva felice. Con gli altri era stata sempre fraintesa."

Maria fuma nervosamente.

"Lo sa com'è finita? L'ho lasciata io. Se uno vuole qualcosa, deve fare almeno la fatica di farsi capire. Non si può sempre interpretare, azzuffarsi ogni volta prima di fare l'amore, insultarsi per avere una carezza. L'ho lasciata, ho trovato una donna meno faticosa."

Maria gli lancia uno sguardo. Il regista sorride, guarda Emilia. Maria si volta verso di lei. Sorride anche lei, perché? La sta prendendo in giro insieme a lui!

"Meglio per lei allora, ha trovato la donna giusta," dice con rabbia.

"Eh, no, meglio per niente! Quando cadeva la corazza era vero amore! L'ho perso per sempre, forse ho anche cominciato a gettare via la mia carriera da quando ci siamo lasciati. Pensavo che se ero stato capace di perdere un amore così non valevo proprio niente, e niente valeva la pena, meglio fare soldi, vivere bene, comprarsi una bella macchina, girare cazzate. Pensi quanto era importante per me quella donna!"

Il regista ora tace rattristato, ripensa al vero amore che ha perduto, alla carriera, al film. Maria fissa il viso di Emilia, la mano ferma sulla gonna leggera. La mano bianca a cui non ha saputo resistere. Vorrebbe ferirla, farla piangere, infilarsi nei pensieri che l'hanno distolta per sempre da lei. Ma è inutile, è finita. Guarda fuori dal finestrino sull'orlo delle lacrime, mormora:

"Se due si lasciano non era vero amore".

Il regista si volta con foga.

"Ne è sicura? È importante! Lo ha detto così, oppure lo pensa veramente?"

Maria annuisce, inghiotte per frenare le lacrime.

"Sarebbe bello non dare più la colpa dei miei fallimenti a lei, al fatto di averla perduta! Tutto si può recuperare! Sapesse quanto mi ha condizionato la vita pensare che da quando ci eravamo lasciati ero diventato una nullità."

Il regista ammutolisce, fissa il viso di Maria. Sulle guance scavate colano lacrime di bambina tradita, lancia un'occhiata colpevole a Franco.

"Perché piange? Mi scusi, è colpa mia?"

"No, ha ragione, è proprio così, non pensi di valere più niente!"

Emilia si volta verso la voce in lacrime. È sola Maria, senza amore, nessuno la comprende, come Gertrud alla fine del film. Le labbra, il seno largo, le gambe magre, lunghe, i gesti del loro amore le sono davanti all'improvviso. Non deve perderla. Cerca con la mano di raggiungere il suo viso, chi se ne frega se ci sono gli altri! Maria gliela ferma, mormora dura:

"Lasciami, non ho bisogno di te".

Il regista si volta di nuovo verso la strada. Stanno insieme quelle due, altro che amiche! Che vita complicata per tutti! Ma meglio così, ognuno esca al naturale, lui si è liberato del vero amore, della sfortuna di averlo perduto. Pensa al film che ha in mente, alla festa, al tonno, al bambino di Franco che sta nascendo. Forse è un uomo superficiale ma si sente felice. Quanto alla tragedia che ha intuito nelle parole di Franco, non bisogna permettere a nessuno di spegnere la gioia intorno a un bambino che nasce, anche se è figlio di gente incasinata come loro, anche se nessuno gli ha comprato il lettino, anche se nonni e zii non ce ne sono, tanto che lui si è sentito in dovere di venire in rappresentanza della famiglia di Franco. In ogni caso il bambino dev'essere festeggiato.

"Franco, sai cosa faccio appena arriviamo? Vado a comprare un letto per il tuo bambino. Dove lo vuoi mettere a dormire, in un cassetto, come in tempo di guerra? Possibile che non ci hai pensato! Io non voglio bambini, ma se ne avessi uno non dimenticherei certo di comprargli la culla! Almeno la culla!"

"È Ferragosto, è tutto chiuso. La prenderò prima che Sabina esca dall'ospedale."

Maria si asciuga gli occhi con un fazzoletto di carta. A Emilia trema il labbro superiore. Il regista guarda le due donne, poi Franco.

"Ora vi dico una cosa, a tutti e tre. Io penso che il bambino di Sabina somigli al brillante del mio prossimo film. Lo abbiamo miracolosamente trovato in mezzo ai rifiuti, vicino a un cassonetto: purtroppo a pensarci bene è anche un fatto realistico. Quante volte è successo negli ultimi tempi di sentire un neonato piangere accanto ai rifiuti? Noi siamo i quattro fortunati che l'hanno trovato, come ci sentiamo? Come si sente uno che vince alla lotteria? Felice, ricco! Abbiamo vinto il primo premio, il più ambito: Danielino piccolino, il nostro brillantino! Dobbiamo cantare, essere felici, fare festa! Allora vi prego, via le facce da funerale!"

Franco lancia uno sguardo al regista. Un brillantino, il suo bambino, quel coglione è un poeta.

"Spingi Sabina, non addormentarti! Spingi, che il bambino sta uscendo!"

Non può, non ce la fa! Non ha voce per dirlo all'uomo con il cappello. Se l'è tolto, gli hanno infilato un camice, è accanto a lei. Sabina non ha voluto separarsi da lui, gli stringe la mano con forza, mormora:

"Non posso".

"Come non puoi? Devi farlo! Il bambino, Sabina, il tuo bambino, non vuoi vederlo?"

"No."

Ora, quando arriverà di nuovo il vortice che la obbliga a spingere, le infermiere le premeranno il ventre dai due lati come un sacco da svuotare. Si può morire, per favore?

"Ascoltami, Sabina, se non spingi ti fanno il cesareo, ora che hai sofferto tanto! Fallo nascere tu! Dai, appena senti che devi spingere, spingi! Mia moglie ha fatto così e il bambino è venuto fuori subito! Mi stringi la mano e spingi! Come lo vuoi chiamare, lo sai già?"

Sabina chiude gli occhi, piange, le si sta spezzando il cuore, loro non lo capiscono, non possono. *Daniele*, sussurra chiamando il fratello, lui può, lui solo. Stringe la mano dell'uomo.

"Daniele! Che bel nome! Non ti lascio, Sabina, non ti lascio, non ti preoccupare! Vedrai che questa volta Daniele esce! Soffre a stare lì!"

Soffre? Chi? Il bambino sta benissimo, loro non lo sanno. Finché è chiuso lì dentro nessuno lo tocca.

"Non posso."

L'uomo avvicina il suo viso, gli occhi neri la fissano.

"Ora mi ascolti, Sabina. Tuo marito ha chiamato, sta venendo. Quando arriva glielo diamo in braccio, va bene? Vestito e lavato! È anche suo il bambino!"

Franco! Non vuole guardarlo negli occhi, non può, si vergogna troppo. Non potrà guardarlo negli occhi mai più.

"Non è mica solo tuo Daniele! Anch'io lo voglio conoscere, e anche il dottore, le infermiere! Lo vogliamo conoscere tutti Daniele, il futuro ferroviere! Lo aspettiamo e tu lo vuoi tenere solo per te! Non è giusto!"

Arriva! Arriva, Dio mio! Le mani schiacciano il ventre, le voci delle donne urlano, *Spingi, Sabina, spingi!* L'uomo le parla all'orecchio, le stringe la mano. Sabina chiude gli occhi. Eccolo, ancora lui! Il bambino ricciuluto! Quel mostro di bambino che ride, bisogna farlo fuori! Sabina lo odia, lo vuole uccidere, picchiare, farlo piangere! Che pianga, si disperi finalmente per quello che ha fatto invece di ridere! L'odio le fa pulsare le vene del collo.

*Come hai potuto bastardo toccare mio fratello? Come ti sei permesso vigliacco! Tu e mia madre dovete morire insieme, di nuovo, per sempre! Voi che ci avete fatti avete osato questo! Dovevate proteggerci e ci avete assalito nel sonno, uccisi, mutilati! Mi hai partorito per questo, madre! Maledetti, esseri abietti, orrori della notte, non voglio piangere, salterò e riderò sulla vostra tomba con il mio bambino in braccio! Lo farò, smetterete di tormentarci, non siete degni di abitare i nostri sogni, noi siamo senza genitori, nati dal nulla, figli di noi stessi, unici genitori dei nostri figli.*

Un urlo, uno schianto potente le esce dal petto, una voce, non la sua, uguale al grido di una bestia ferita che muore. Le infermiere, l'uomo, il dottore, si scostano da lei spaventati. Ecco la voce nuova del bambino sporco di sangue, un proiettile che il medico afferra al volo. Piange, urla in coro con la madre liberata. Il dottore non ha mai visto un parto così. L'infermiera mette il bambino accanto alla madre prima che sia lavato. Ha gli occhi aperti, così piccolo! Scuri, seri. Sabina e Daniele ammutoliti si guardano. Sabina passa il dito sul sopracciglio aggrottato, sporco di sangue. *Chi sei tu, da dove vieni? Chi sei tu, dove sono?*

# 5.

"Mi scusi, chi è lei, il padre?"

Il regista cerca di non perdere la pazienza. Il ferroviere ha l'aria tronfia e indisponente.

"No, non sono il padre, ci siamo divisi. Lui è andato giù in sala parto e noi qui al piano, non sapevamo dov'era."

"È un parente?"

"No, un amico."

Il ferroviere indica le due donne.

"Parenti?"

Il regista sbuffa.

"Mi ascolti, qui parenti non ce ne sono, la prenda come vuole. C'è un padre e sta arrivando. Come stanno la signora, il bambino?"

"A che titolo lo vuole sapere?"

"A titolo d'amicizia, le dice qualcosa?"

Il ferroviere gli va vicino minaccioso.

"Senta un po', bell'amico, ho raccolto Sabina in uno scompartimento, il parto era in corso. Era sola, potevano morire, lei e il bambino, non aveva accanto un compagno, un amico, un'amica, nessuno. Le ho tenuto la mano mentre partoriva, ha sofferto come un cane. Non usi quel tono perché le do un cazzotto!"

Il regista lo guarda stralunato. Ma perché tutti gli danno lezioni?

"Guardi che io non ho colpa di niente. Ho lasciato la casa, mia moglie, cinquanta invitati in arrivo per accompagnare il padre. Cosa c'entro io?"

"Allora se non c'entra non chieda nulla, se ne vada e porti via queste due, è Ferragosto, il personale è ridotto e non è orario di visite. L'aspetto io il padre, lo porto alla polizia così spiegherà tutta la storia e poi me ne vado a casa."

Il regista guarda le due donne. Maria gli fa segno di calmarsi, si avvicina al ferroviere che presidia di nuovo la porta della stanza.

"Ho partorito una figlia, so cos'è, capisco che sia scosso."

"Anch'io so cos'è, ho assistito mia moglie *io*, non l'ho lasciata sola!"

Maria lascia passare la furia, ricomincia a parlare dolcemente, educata, rispettosa. Emilia e il regista l'ascoltano stupiti.

"Sabina e il marito hanno discusso, succede a tutti, lei ha preso il treno, il termine non era ancora scaduto. Il marito della signora è un uomo per bene, lei si è fatto un'idea sbagliata. Non c'è bisogno della polizia. Io sono una collega di Sabina, lei è la sua migliore amica, una sorella, sono cresciute insieme. L'uomo con cui se l'è presa è un amico del padre. Parla troppo ma è un brav'uomo."

Il regista spalanca gli occhi.

"Ci siamo precipitati, eravamo disperati, Sabina era sparita. Le sembra giusto trattarci così?"

L'uomo tace, non la guarda.

"Vogliamo solo sapere come stanno. Se non vuole farci entrare, non fa niente, ha ragione, forse è meglio che vada solo il padre."

Il ferroviere non dice niente, poi lentamente sposta lo sguardo su di lei.

"Ha sofferto molto. Il bambino è piccolo ma non prematuro, pesa due chili e otto, lo hanno messo nell'incubatrice. Sabina sta bene, mi ha chiesto di restare, di aspettare il marito."

Maria gli tende la mano.

"Grazie per quello che ha fatto, è importante avere qualcuno vicino, lo so."

Il ferroviere alza le spalle, le stringe la mano.

"Dovere. È già successo un'altra volta a un collega, solo che in quel caso era una minorenne. Qui è tutto diverso, mi capisce? Io divento pazzo davanti a certe cose."

"Certo, grazie ancora."

Maria si allontana dalla porta. Il ferroviere la apre.

"Entrate, forse sarà contenta di vedervi. Io aspetto fuori, comunque qualcuno dovrà parlare con la polizia."

Maria prende Emilia sottobraccio. Il regista resta nel corridoio.

"Aspetto Franco, lo chiamo al telefonino, gli dico che è qui."

Le due donne si affacciano sulla stanza. Sabina è stesa con gli occhi chiusi, gli altri due letti sono vuoti.

"Dov'è?"

"Dorme."

"Allora lasciamola, torniamo domani."

Sabina apre gli occhi, le vede da lontano.

"Vieni, è sveglia."

Sabina fa loro segno di avvicinarsi al letto.

"Non ho più voce, ho urlato troppo."

Maria annuisce.

"Hai fatto bene, che ne sanno loro di quanto si può soffrire."

Emilia lascia il braccio di Maria, tocca la sponda del letto, le si avvicina. Sabina si tira su, le tende la mano. Emilia si siede sul bordo del letto, gliela bacia. Maria ha un colpo al cuore.

"Emilia..."

"Non ti stancare. Perché sei andata via? Siamo morti di paura, il ferroviere ci ha trattato come criminali perché ti abbiamo abbandonato."

"Poverino, è stato con me fino all'ultimo. Franco?"

"Arriva, era andato a cercarti in sala parto."

Maria cerca di ignorare il senso di esclusione che le infiamma il cuore.

"Com'è il bambino?" le chiede.

"È piccolo, ma sta bene. Ha gli occhi scuri come Franco, mi sembra così carino... vorrei averlo qui ma l'hanno messo nell'incubatrice, purtroppo non potete vederlo."

Emilia le accarezza la mano.

"Non ti preoccupare, tornerò domani con mia madre, resto a Roma, così se hai bisogno di qualcosa..."

"Ma no, vai al mare, fa così caldo. Io dovrò restare in ospedale qualche giorno in più perché il bambino ha sofferto durante il parto, ho perso tutte le acque."

Maria fissa la mano di Sabina dentro quella di Emilia.

"Resto qui lo stesso, voglio stare con te anche se non posso aiutarti molto."

Le due mani si stringono, Maria ha voglia di andarsene.

"Vado a fumare una sigaretta e a vedere se arriva Franco."

Si allontana, vede se stessa dopo il parto, il marito seduto sul letto, la bambina in braccio. Sembrava così diversa la vita, precisa, dritta, essenziale. Aveva una cosa fondamentale da fare bene. Ora tutto è in frantumi, lei non appartiene a nessuno, nessuna mano l'accoglie. Sulla porta incrocia Franco, gli occhi cerchiati puntati verso Sabina, è disfatto. Lo lascia passare, esce dalla stanza.

Non le fa paura guardarlo negli occhi, è più impaurito di lei.

"Franco, vieni."

L'ha trovata, sta bene, è viva!

"L'hai visto, te l'hanno fatto vedere?"

Franco la fissa senza capire.

"Chi?"

Sabina ride e subito si lamenta. Lui la guarda spaventato.

"Cos'hai?"

"Niente, i punti. L'hai visto il bambino?"

Sì, c'è un bambino da vedere, il suo. Ma ora sente la responsabilità solo di lei, vuole che stia bene, che non soffra e non se ne vada. Emilia si alza dal letto, cerca la sponda con le mani.

"Aspetta Emilia, resta."

"Non preoccuparti per me."

Franco non riesce a staccarle gli occhi di dosso, lo sguardo, le mani, le spalle, la bocca, non sa se può toccarla, abbracciarla.

Sabina gli sorride. Gli occhi di Franco, precisi a quelli del bambino, la fissano interrogativi come prima lui.

"Franco, vieni qui."

Franco si siede sul letto con delicatezza, non la toccherà mai più se lei non vuole, farà voto di castità, non scoperanno più, la guarderà senza toccarla, va bene anche così! Chi l'ha detto che l'amore si può fare solo con il corpo? Loro due inventeranno un altro modo che non somiglia a niente di conosciuto, non richiama alla mente nulla di terribile, lo faranno con gli occhi, con il pensiero, si scriveranno. Sabina lo abbraccia all'improvviso, lui nasconde il viso, le lacrime, come può essere lui a piangere? Lei lo tiene stretto, gli accarezza la testa, gli dà un bacio sul sopracciglio aggrottato, sugli occhi umidi, le pare di avere di nuovo accanto a sé il bambino.

Emilia si allontana silenziosamente, tocca le sponde dei letti vuoti, cerca la porta.

Le voci dei due sono incollate come i loro corpi, non lasciano spazio ad altre. Il loro duetto è perfetto, conclusivo. Sulla porta il regista la prende sottobraccio.

"Dov'è Maria?"

"È fuori a fumare con il ferroviere, si raccontano di parti e bambini. A me come al solito spetta il ruolo dello stronzo, dovrò parlare con la polizia."

Si avviano nel corridoio deserto, superano la statua di una Madonna vestita di rosa e celeste. Il regista la guarda, sospira, caccia via il pensiero, pensa alla festa.

"Imbastisco due cazzate alla polizia e torniamo al mare. Maria ha lasciato la sua macchina e poi non c'è ragione di restare. Un padre, una madre, un bambino, perfetto, quasi irreale... che ci facciamo noi?"

Quell'uomo mette sempre il dito nella piaga.

"Maria viene con te, domani raggiunge la figlia. Io vado a casa, mia madre è rimasta in città."

Il regista le lancia uno sguardo.

"Vi conoscete da molto tu e Maria?"

"No, ci siamo incontrate quando Sabina è partita per l'America."

Fuori la luce sta calando. Giusto il tempo di tornare, farsi una doccia, tagliare il tonno, accogliere gli invitati.

In casa non ci sarà niente da mangiare, neanche Sara ad aspettarla. Padrona del cane è diventata la madre che lo porta a spasso e gli dà da mangiare.

Vedendoli uscire il ferroviere spegne la sigaretta. Maria finisce la sua senza alzare lo sguardo su Emilia.

"Allora, passiamo alla polizia?"

Il regista sbuffa, guarda l'orologio.

"Dobbiamo, no?"

"Andiamo."

Il ferroviere tende la mano a Maria.

"La saluto, signora, grazie delle sue belle parole."

"Grazie a lei per quello che ha fatto."

Il regista e il ferroviere si allontanano affiancati nel cortile dell'ospedale. Il regista si volta verso le due donne:

"Aspettatemi all'uscita. Vi porto dove volete, a casa, al mare, basta che vi decidiate".

C'è un cespuglio di oleandri polverosi accanto a loro, eppure Emilia riesce a distinguere il profumo di limone di Maria.

"Cosa gli hai detto di così commovente?" le chiede con astio.

"Niente, mi ha parlato di sua moglie, dei bambini, gli ho detto di tenerseli stretti. Andiamo?"

Maria la prende sottobraccio. Non devono più vedersi, non possono essere amiche: la pelle di Emilia è così liscia, il viso bianco, gli occhi fissi, trasparenti, i capelli neri, la giovane signora seduta davanti alla finestra del quadro di Matisse. È troppo innamorata di lei per riuscire a incontrarla senza pensare di fare l'amore, anche se le mancheranno l'intelligenza, l'osservazione acuta, la sua anima.

Camminano affiancate, ormai sanno farlo bene, sono affiatate. Basta un piccolo gesto per impedirle di pestare schifezze. Ballano: Maria conduce, Emilia la segue leggera.

"Maria..."

"Sì..."

"Perché ci stiamo lasciando?"

Non dev'essere impulsiva, irruente, vuole pensarci bene prima di parlare.

"Sono troppo gelosa, non voglio più soffrire, mi sento anziana, mi batte il cuore troppo spesso."

"Non ti farò soffrire, te lo giuro, non mi lasciare da sola nella mia casa, la odio, tutto è sempre allo stesso posto. Voglio andare a passeggio con te, anche a ballare se capita. Non lasciarmi, Maria."

Si abbracciano, si baciano in bocca nel cortile dell'ospedale, reparto maternità, tanto non c'è nessuno, e anche se ci fosse uno spettatore, Maria ed Emilia non smetterebbero di baciarsi.


"Ora ascoltatemi bene, non ho tempo da perdere, anzi non ne ho per niente. A casa mi aspettano cinquanta invitati e un tonno da affettare. Ma non può passare così. Io firmo il verbale, va bene, caso archiviato. Quanto all'affermazione del commissario: *Oggi il mondo è popolato di mascalzoni*, a quella devo replicare con forza. Prima il mondo brulicava di mascalzoni, signor commissario, molto più di oggi, si nascondevano nelle pieghe della morale, della famiglia, dei valori, ma erano mascalzoni veri, e in più non coscienti di esserlo, superbi del loro teatrino!

I bambini venivano abbandonati, massacrati molto più di oggi, e nell'indifferenza generale! Le donne erano carne da macello, gli uomini carne da lavoro! Io non farò figli, sì, guardatemi pure male, non li farò perché non mi sento in grado di crescerli. Lei sì? Ne dubito, non si offenda, comunque invidio la sua sicurezza! Non ho nessuna nostalgia per i tempi andati, tranne che su un punto, uno solo: gli artisti! Ha presente gli artisti di una volta, signor commissario? Il nostro cinema, il nostro grande cinema! I caffè, i libri, le discussioni, le idee che andavano da uno all'altro come carezze o ceffoni. Io rimpiango solo questo del passato, sputo sulle ipocrisie, le mie per prime, le sue. No, non voglio sputarle addosso, signor commissario, non deve arrestarmi, era una metafora. Sa cos'è una metafora, vero? Speriamo. Comunque glielo spiego, a scanso di equivoci. La metafora è una figura retorica, si usano delle parole al posto di altre, delle immagini analoghe ad altre. Sì, non si preoccupi, me ne vado, ho molto da fare anch'io. Però le voglio dire un'ultima cosa, l'ultima e me ne vado per sempre, non ci vedremo più, o forse lei vedrà un mio film, un capolavoro! Le cosacce che ho fatto per la televisione le conoscerà già, ma non le cito perché me ne vergogno. Sì, lavoro per la televisione. No, non si ecciti, è solo un elettrodomestico, come diceva Eduardo. No, non le dico i titoli delle serie che ho diretto. Non parliamone più! Le ho detto di no! No, non conosco nessuno che può aiutare suo figlio a entrare in televisione. Non voglio più farla, la odio, ho litigato con tutti. Allora, le voglio trasmettere una sola, ultima idea. Me la lascia dire o no? Finalmente! C'è solo una cosa da fare, oggi come sempre, gli artisti sono gli unici ad averla capita: *Non tacere mai*, a costo della vita, della reputazione, dello scandalo, del dolore."

# INDICE

*Stampa Grafica Sipiel*
*Milano, luglio 2004*